пляска головой и ногами

Оксана
Робски

# Casual 2

ИЗДАТЕЛЬСТВО
Астрель
Москва

УДК 159.9
ББК 88.37
Р58

Иллюстрации и дизайн обложки:
*Ксения Зон-Зам*



**Робски, О.**

Р58 Casual-2: Пляска головой и ногами / Оксана Робски. — М.: Астрель: АСТ, 2008. — 320 с.

ISBN 978-5-17-047407-3 (АСТ) (С.: желтая)
ISBN 978-5-271-18477-2 (Астрель)
ISBN 978-5-17-047633-6 (АСТ) (С.: синяя)
ISBN 978-5-271-18479-6 (Астрель)

Оксана Робски – автор восьми книг, ставших бестселлерами. Число книг-подражаний растет с каждым днем, маститые журналисты и искушенные критики продолжают яростно обсуждать этот феномен литературы.

Героиня ее нового романа – успешная и независимая писательница. У нее есть собственный дом, бывший муж, любимый сын и родители, которых надо поддерживать материально, подруги с личными проблемами, перспективный поклонник и собственный телефонный маньяк. Можно заработать миллионы и подняться на вершину успеха, но у всего есть своя цена. Готова ли героиня столкнуться с обратной стороной славы?

**УДК 159.9**
**ББК 88.37**

Подписано в печать 21.08.2007.
Формат 84х90/ 32. Усл. печ. л. 16,8.
С.: Жёлтая. Тираж 30000 экз. Заказ № 5598 Э.
С.: Синяя. Тираж 20000 экз. Заказ № 5599 Э.

Общероссийский классификатор продукции
ОК-005-93, том 2; 953000 — книги, брошюры
Санитарно-эпидемиологическое заключение
№ 77.99.60.953.Д.007027.06.07 от 20.06.2007

*Я хочу видеть мужчину и женщину:*
*одного способным к войне,*
*другую способной к деторождению,*
*но обоих способными к пляске*
*головой и ногами.*

Ф. Ницше. Так говорил Заратустра

*На самом деле это даже не дневник.*
*Просто ее записи.*
*В них нет знаменательных дат,*
*в них нет цифр, показывающих ее вес или*
*количество потребленных ею калорий.*
*Зато в них есть ее мысли.*
*Ее встречи.*
*Ее жизнь.*

*Данная книга является художественным произведением, все действующие лица и события которого вымышлены. Любое сходство с реальными людьми и событиями случайно.*

Алкоголь — *проводник* в окружающий мир. Пока нам видны лишь его размытые очертания

Casual ноль

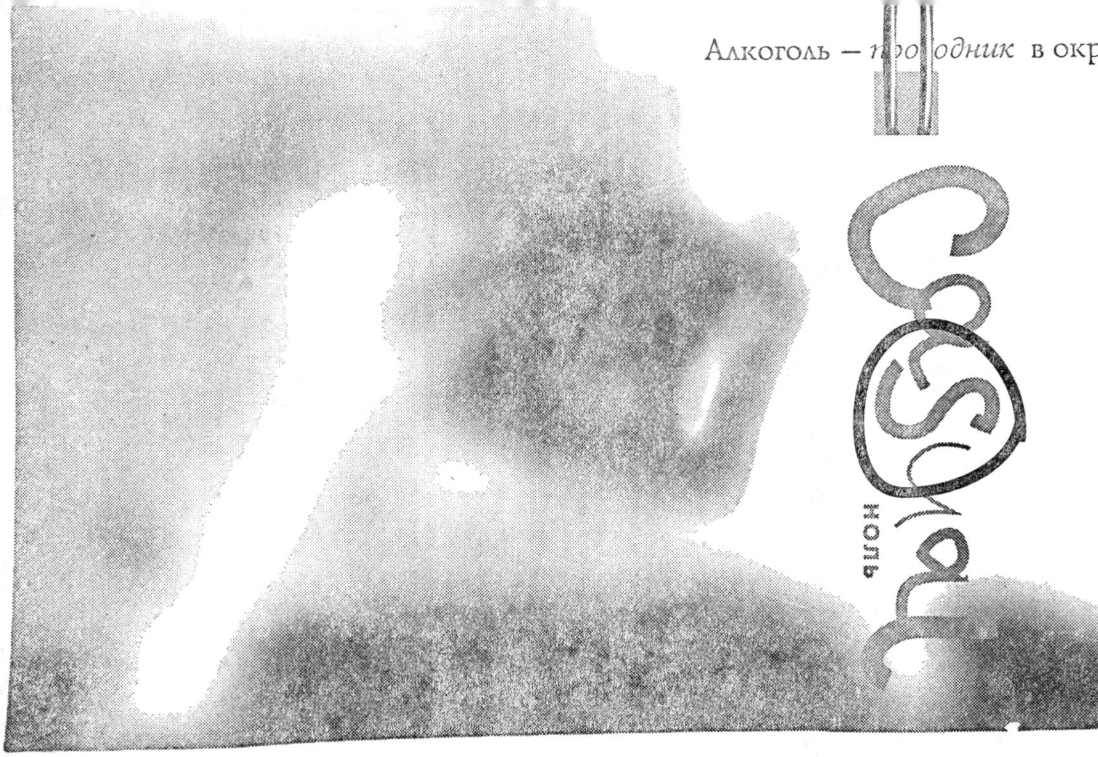

В «GQ» людно и шумно. По пятницам. Сегодня — пятница.

Регина, мой директор по связям с общественностью, приехала первой и сразу набросилась на официанта:

— А почему такой отвратительный стол? Что, у нас теперь звезд по углам сажают?

Регина любит путешествовать, но боится летать. Для храбрости она выпивает в самолете бутылку виски. Если не трансконтинентальный рейс. Из-за этого у нее проблемы с молодыми людьми. Хотя молодые люди думают, что это у них проблемы с Региной. Потому что она никак не может определиться: то ли ей перестать путешествовать, то ли бросить пить?

— Да ладно тебе! — Я ободряюще киваю официанту. — У них вообще свободных столов не было. Пришлось руководству звонить.

— Значит, у них нет руководства, — Регина полна возмущения, — раз нам такой столик дали!

Мы расцеловались.

У Регины всегда в руках еженедельник. По ее представлениям, именно так должна выглядеть бизнес-леди.

— Молодой человек, — она удивленно поднимает брови, глядя на официанта, — вы все еще здесь? Шампанское «Laurent-Perrier Brut», наши вкусы не меняются!

А еще поклонники Регины, все как один, со временем начинали ревновать Регину ко мне. Запрещали ей со мной общаться, и никакие доводы о том, что это ее работа, не действовали. Один даже запретил ей читать мою книгу. Она читала ее урывками, в гараже, по тридцать минут в день. Из них последние две — в лифте.

Потом она их бросала. Молодых людей. Никто больше года не продержался.

— Ладно, давай о делах, раз все опаздывают. — Регина листает еженедельник, контролируя боковым зрением вход в зал, откуда должен появиться официант с «Laurent-Perrier Brut». По 180 евро бутылка.

— Так, новый журнал, где-то здесь у меня записано, как называется... — Она шуршит листочками. — Короче, там все: Малахов и всякие звезды. В общем, все рассказывают про свою первую любовь. А потом репортеры звонят твоей первой любви и фотографируют ее: дескать, вот что с ней стало.

— Это обязательно? — интересуюсь я, вспоминая симпатичного семнадцатилетнего студента, из-за которого я вроде бы хотела покончить жизнь самоубийством. Не то чтобы отравиться. Или повеситься. А так — умереть самой по себе, легко и естественно, и за несколько минут до смерти простить его. Роняя слезу на его дрожащую руку.

Самопроизвольная смерть не наступила, но зато я дала себе судьбоносное обещание: мстить всем мужчинам. Они в меня влюблялись, и я их бросала. Оказалось, что влюбить мужчину в себя несложно — надо просто каждую минуту помнить, что ты его бросишь.

— Что-нибудь придумаем, — обещаю я. — С первой любовью.

Принесли шампанское.

— Еще тебя приглашают в Питер, «Пятый канал», оплачивают тебе дорогу, гостиницу, все как обычно.

— Не, Питеру отказать.

— Но они так просили!.. Ну, что? Добрый вечер?

Мы звонко чокаемся.

— Закажете что-нибудь или будете всех остальных ждать? — поинтересовался официант.

— Да мы уже, собственно, все заказали. Вы далеко не уходите только! — распорядилась Регина, кивая на ведерко с шампанским.

С мотоциклетным шлемом в руке появляется Марина Сми. Это сокращенное от Смирнова. Сценический псевдоним. Она живет с продюсером. Только об этом никто не знает. Потому что официально продюсер живет со своей бывшей женой, певицей Василисой.

У Марины длинные рыжие волосы и черный блестящий мотоцикл. Когда она приезжала на наши девичники, мы с завистью глядели на ее роскошную рокерскую курточку и шлем, который она небрежно роняла на диван рядом с собой. Мы восхищались шлемом и курткой до тех пор, пока однажды, выпив виски с яблочным соком, она не рассказала нам о том, что мужики, оказывается, «на эту фигню не ведутся».

— Я раньше тоже думала: так сексуально! — она вздохнула и грустно улыбнулась. — Но для них лучше юбки покороче и сиськи побольше...

Теперь мы ее дразним. Спрашиваем, не ложится ли она спать в шлеме (удобно, если используешь бигуди) и снимает ли она его в кабинете у гинеколога?..

— Ну и столик у нас, — разочарованно протянула Марина Сми, целуя нас с Региной по очереди. — Может, пересядем?

— Других нет, — объясняю я. — Хорошо хоть этот дали.

— Еще бы не дали! Звездам-то!

— А чего ты шлем в раздевалке не оставила? — ерничает Регина.

— Да он вроде не мешает... Шампанское пьем?

— Вам меню нужно? — Официант поставил на стол корзину с хлебом.

— Да вы что? Какое меню? — возмутилась Марина Сми. — Вы посмотрите на нас! И ответьте: нужно нам меню? И хлеб уберите, пожалуйста.

— Ну, может, салатик, — упрямо предложил официант.

— Нет! — категорично заявила Марина. — Спасибо!

— Тогда, может, десерт? — не унимался официант.

— Да что же это такое? — возмутилась Марина и положила руку на шлем так, как кладут ее в храмах на священную Книгу. — Просто маньяк какой-то, от кулинарии!

Здороваясь почти со всеми в ресторане, причем одновременно, к нашему столику пробиралась Катя.

Ее знала вся Москва. Она уже давно жила на свете. И, судя по ее комплекции, много за свою жизнь съела. Но при этом всегда была на диете. Так считалось. И ее подруги были обязаны сообщать ей о том, что диета помогает: Катя худеет. Если, конечно, хотели оставаться ее подругами.

— Привет, красавица! Ничего себе, какая талия!

Если бы Марина этого не сказала, Катя не села бы с ней рядом.

— А получше столика не было?

Мы дружно уверили ее, что нет.

— Красотка! — я поцеловала Катю и расправила кружево на ее плече.

Год назад Катю бросил муж. После того как увидел ее фотографию в желтой прессе, на которой она страстно целовала в губы одного популярного в то время актера.

Текст, оказавшийся роковым для Катиной семейной жизни, содержал подробный отчет об их двухмесячном романе. Собственно, за роман это невинное приключение принял только один действующий персонаж «любовного треугольника» — Катин муж. После чего ушел, унеся с собой костюмы и Катину уверенность в завтрашнем дне.

— Ну что, девочки? — Регина довольно улыбнулась. — Глотнем колдовства?

— За нас! — провозгласила Марина Сми.

Мы чокнулись.

Официант снова поставил на стол корзинку с хлебом.

Мы загалдели одновременно.

— Уберите! — возмутилась Регина.

— Унесите сейчас же! — потребовала Марина. — А кто еще будет?

— Сейчас Чернова приедет, — ответила я.

— А Лялька?

— И Лялька. Она на презентации, а потом — сюда.

— А что у нее сегодня? — поинтересовалась Марина ревниво. — Наверное, ресторан новый — как его? — у меня пригласительный дома...

— Не знаю, — я пожала плечами. — Вроде ресторан...

Регина схватила свою записную книжку. Для этого пришлось снять с нее стакан с водой.

— Так, девочки, сейчас я вам все скажу... сегодня у нас какое число?.. Ага, точно, новый ресторан. Тебя, кстати, тоже там ждут!..

Я кивнула. Приемы устраивают для тех, кого туда не приглашают.

Катя приветственно помахала рукой мужчине в полосатом костюме.

Вот уж чего бы я никогда делать не стала! Ненавижу полосатые костюмы. Если вы, конечно, не снимаетесь в фильме «Здравствуйте, я ваша тетя!». Но тогда вам надо взять розу в зубы.

— Присядешь к нам на минутку? — предложила Катя.

— Ну, от такого предложения невозможно отказаться... — «Костюм» сделал знак официанту. — Виски!

— Вы знакомы? — спросила Катя.

Я вежливо улыбнулась.

Моим подругам в последнее время кажется, что со мной знакомы все. Поэтому приходится вежливо улыбаться. Или отвечать: «Еще нет. Но с удовольствием познакомлюсь».

Наверное, это называется плохая память на лица. А когда слишком много лиц, как это называется?

— Наши дочки вместе в школе учатся. — Катя произнесла это так, словно факт совместного обучения в школе их детей оправдывал наличие полосатого костюма.

— Твоя на экскурсию поехала? — поинтересовался «Костюм».

— А как же! Она мне все уши прожужжала про эту экскурсию! — Катя обожала свою тринадцатилетнюю дочку. Она ласково называла ее Морковкой.

— А я свою еле выгнал, — вздохнул «Костюм». Вернее, выдохнул. Перед тем как опрокинуть стакан с виски. — Она у меня вообще какая-то неправильная. Я ей говорю: хочешь, пирсинг себе сделай. Я ей даже в сумку, на экскурсию, две банки джин-тоника положил. Сядет там с девчонками, откроет сумку... Оп-ля-ля! — Это «Костюму» еще один стакан принесли — ...А там... И все, пошел разговор, все свои, все на тусовку...

— Ты бы ей еще наркотиков дал, — посоветовала Катя. — Точно бы разговор получился.

— Ну, это уже перебор... Ваше здоровье, девушки... и в третью школу переводиться — тоже перебор. Надо уметь находить общий язык в коллективе.

— Слушай, давай пока по делам... — Регина снова зашелестела своей тетрадкой. — Тут все радио это тебя хочет, я им еще неделю назад обещала, и еще «Российская газета», у них... кстати, вот! — Регина сделала многозначительную паузу. — Ты знаешь, какой у них теперь тираж?!

Виски закончилось, мужчина в костюме встал.

— Счет за стол — мне! — сказал он официанту одними губами, крутанув пальцами в воздухе так, словно изображал летающую тарелку. Или как будто наш ресторанный столик был круглым. Или он имел в виду земной шар...

— Кстати, ты посмотрела фотографии для «ОК!»? Слушайте, я только одного не понимаю — зачем своей дочке давать джин-тоник? — У Регины был такой вид, словно это то единственное, чего она действительно не понимает в жизни.

— Да он хороший мужик, я его знаю! — заступилась за «Костюм» Марина.

— И со вкусом у него все в порядке, — произнесла я ей в тон.

— Девочки! Единственный мужчина, который обратил на нас внимание! — воскликнула Катя. — Давайте его ценить!

— Да мы только пришли! — возмутилась Регина.

Алкоголь — проводник в окружающий мир. Пока нам видны лишь его размытые очертания.

— Девочки! Посмотрите, какая красотка у Стаса! — Марина Сми указала рукой с бокалом на соседний столик.

Там сидел молодой человек в розовой рубашке и что-то вдохновенно врал симпатичной блондинке.

— Жалко только, что курит, — Регина помахала рукой перед своим лицом так, словно дым от сигареты девушки доходил и до нее.

— Бросит, — убежденно сказала Марина.

Сама она бросила два года назад, когда забеременела от своего продюсера. Вернее, согласно общественному мнению, он был не ее продюсер, а продюсер певицы Василисы, но забеременела от него именно она.

— Да все равно он ее бросит раньше, чем она бросит курить, — вздохнула Катя.

— Лялька звонит. — Я взяла свой телефон и включила громкую связь. — Ляль, ты где?

— Я на открытии! Тут вся Москва! — Лялька кричала, чтобы ее было слышно лучше, чем музыку в ресторане.

— Ну, ты сюда собираешься? — Я, наоборот, пыталась не кричать, но у меня все равно получалось очень громко.

— Давай ты сюда! Здесь круто!

— Нет! — Мы дружно замотали головами и почему-то схватились за свои бокалы.

— Ну, тогда я попозже к вам приеду! Там столик хороший?

— Хороший! — закричали мы хором.

— Все! Целую! Ждите меня!

— Алло. — У Регины тоже зазвонил телефон. — Нет, это ее помощница. «Комсомольская правда»? Нет, мы это комментировать не будем. Нет... Нет, девушка, да что ж такое-то!.. Ужас прям!.. Я же вам говорю! До свидания!

Регина бросила телефон на записную книжку и громко захлопнула ее. Как будто телефон был закладкой.

— Говорят, что ты беременна! — она повернулась ко мне. — И хотят, чтобы я это прокомментировала!

— Скажи: тройня! — посоветовала Марина.

— Почему-то давно уже никто не говорит, что я беременна! — возмутилась Катя.

— За Катю! — сказала я, и все радостно поддержали.

— Девочки! Смотрите, Курбатская! — Марина кивнула в сторону хозяйки теперь уже культового ресторана «Марио». — Обалденно выглядит!

Гламурной походкой Татьяна Курбатская приблизилась к нашему столику.

— Красотка! — я чмокнула ее в щеку.

— Не она одна! — обиделась Катя.

— Какая нарядная блузка! — традиционно похвалила Катю Курбатская.

— Я и сама еще ничего! Кстати, это тост! — Катя подняла бокал.

— «Laurent-Perrier»? — Курбатская одобрительно кивнула, профессионально оценив шампанское.

— Брют, — подтвердила Катя.

Татьяна отошла к соседнему столу поздороваться с друзьями.

— Не забывайте, что у нас сегодня повод! — провозгласила Катя.

— Да, и еще какой! — я торжественно подняла бокал.

Я уезжаю. На год или два. Надеюсь, не больше. И поэтому мы устроили девичник. И пьем шампанское. Перед разлукой. Все-таки я буду очень скучать по своим подружкам.

По дороге в туалет вижу приятеля, продюсера одной из модных поп-групп. Каким-то девушкам с концептуальным макияжем он рассказывает о том, что самая гламурная еда — окрошка на шампанском. Девушки верят и важно заказывают ее официанту. Официант важно принимает заказ.

Продюсер веселился.

— Ты хоть не «Crystal» им заказывай, — мне тоже стало весело, — или хоть окрошку без колбасы.

Почему-то картошка и огурцы в шампанском меня не смущали.

— Окрошка без колбасы — это не окрошка! — наигранно обижается продюсер, и девушки одобрительно щебечут что-то в этом же роде.

Они сидят на белом диване, как персидские кошки. Так же вальяжно и уютно. Легко представить себе, как они разбегаются в разные стороны, стоит только грозно сказать им «брысь».

В конце зала громко требовал себе стол добрый приятель всех модных девушек, гомосексуалист с редким, даже для гомосексуалистов, чувством юмора.

— Слушай, — говорю я, поравнявшись с ним. — Там один журнал хочет напечатать фотографию молодого человека, который был моей первой любовью. Ну, фотографию, его рассказ, как это было, и все такое.

— А что? Прикольно, — отвечает он.

— Ну, в том смысле, каким он был и каким стал. Понимаешь?

— Ты хочешь, чтобы я был твоей первой любовью?

— Ага.

Он хохочет.

— И я им скажу, что с тех пор не смог влюбиться ни в одну женщину!

Иду дальше, приветливо кивая направо и налево.

Какие-то лица за другими столами. Незнакомые, которые кажутся знакомыми, и знакомые, которых не узнаешь. Но все равно улыбаешься и здороваешься.

Вообще, звезды в России — самые воспитанные люди.

До тех пор, пока твои фотографии не появляются в журналах, ты — просто на всякий случай, — встретив кого-нибудь, отворачиваешься. После — так же на всякий случай — радостно улыбаешься.

— Привет! — встречаю условно знакомого мне человека. Я читала в журнале, что он стал художником. Мне понравились его работы. Такие же яркие, как мои мечты. И такие же абстрактные. — Поздравляю! Я видела твои картины и совершенно влюбилась в них! Супер!

Мы целуемся, обнимаемся. Он доволен.

— Какие картины? — спрашивает он.

— Твои! — радуюсь я. — В журнале!

Он протягивает мне бокал, мы чокаемся.

— Я не умею рисовать! — говорит он.

Ресторан наполнен гулом голосов, тапера почти не слышно.

Я уже понимаю, что с кем-то перепутала его.

— Желтая пресса? — предполагает он.

Я киваю.

У него звонит телефон.

— Да, здорово! — кричит он в трубку. — В «GQ»! Мне тут журнал принесли, так там написано, что я художник! Ага... Вот и скажи мне, как художник художнику: ты едешь?

К нам подходит молоденький промоутер одного из модных клубов. Целует меня в щеку, демонстрируя окружающим панибратское отношение со звездами.

— Видишь, кто с моей бывшей девушкой сидит? — он одними глазами, не оборачиваясь, показывает в сторону выхода.

— Кто это? — вежливо интересуюсь я.

Он почтительно называет номер в «золотой сотне» списка «Forbes». Из четвертой двадцатки.

— Ты что, всех знаешь? По номерам? — удивляюсь я.

— Я вообще-то считаю себя образованным человеком, — обижается он. — Я знаешь сколько журналов читаю?

— Здо́рово. Молодец, — я одобрительно киваю.

И мысленно представляю, как смешно будет выглядеть сегодняшний вечер в моем дневнике. Особенно этот эпизод.

Я возвращаюсь за наш стол.

Катя красит губы, заглядывая в пудреницу.

Рядом с Мариной Сми — молодой человек в розовом галстуке и сиреневом пиджаке.

Его смущает девственность нашего стола, и он заказывает вазу с фруктами.

Углеводы на ночь никто не ест.

Катя кладет в каждый бокал по клубничке и произносит тост. За мой отъезд.

Приехала Чернова и не сказала Кате, что та похудела. Катя это заметила, но виду не подала. Пока.

Мельком взглянув на незнакомого молодого человека в розовом галстуке, Чернова шепчет мне в ухо:

— Сережа в больнице. Он хотел отравиться. Еле откачали.

Мы смотрим друг другу прямо в глаза.

Сережа — ее девятнадцатилетний сын. Его недавно выгнали из колледжа в Америке. Из школы в Англии его выгнали в прошлом году.

— Я только что оттуда, — очень серьезно говорит Чернова. — Не дай бог никому...

# 1

## один

Они грызли время, как мыши: по краям, не чувствуя вкуса. Но это устраивало и его, и ее

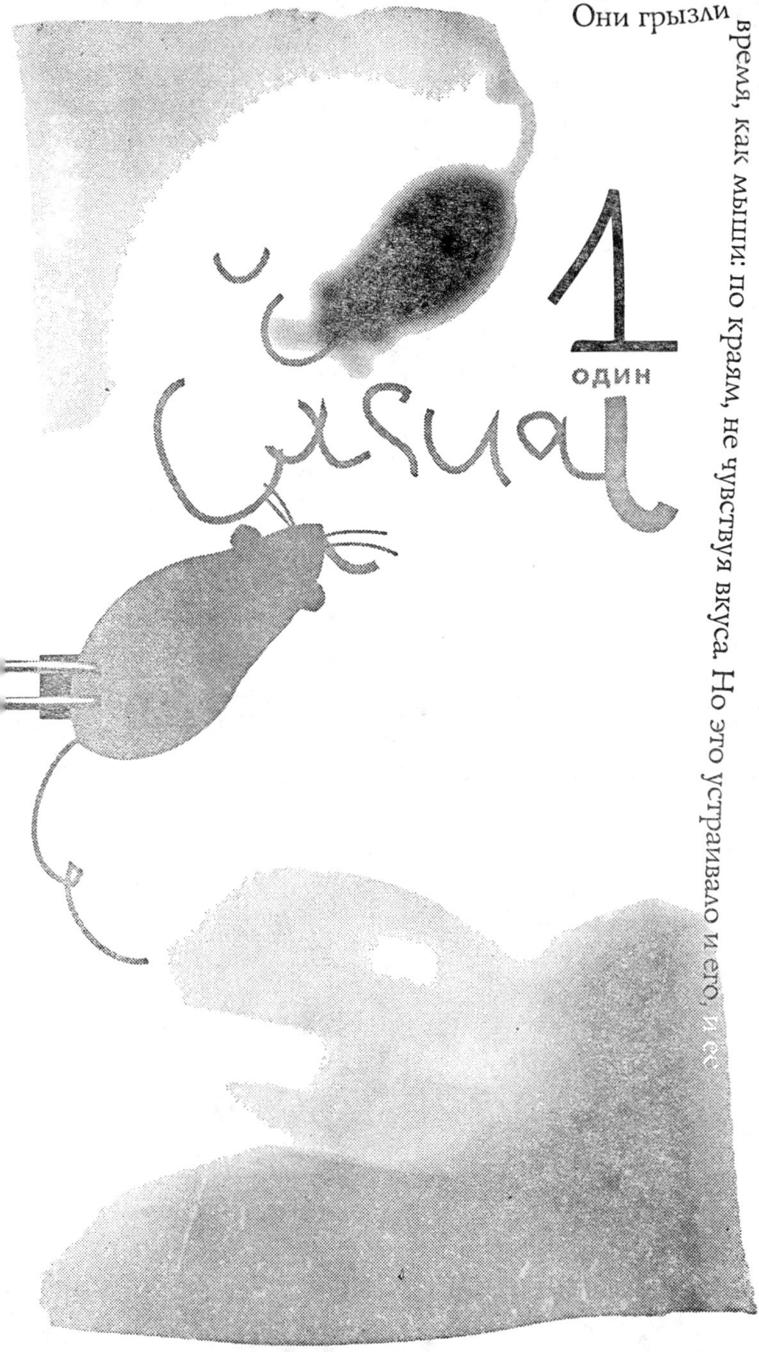

# 1

...Первый раз мой маньяк позвонил мне, когда я была в тренажерном зале. Редкий случай. Как потом выяснилось, гораздо более редкий, чем звонки маньяков.

Он попросил меня к телефону.

— Я вас слушаю! — почему-то игриво ответила я.

Это было еще то время, когда я не говорила нагло в трубку: «Нет, ее нет по этому телефону. Запишите номер ее директора. Ее зовут Регина», даже не пытаясь менять голос.

— А что вы делаете сегодня вечером? — без всякого выражения поинтересовались в трубке голосом, от которого потом еще целый год меня бросало в жар.

— Вечером? — Я глупо захихикала, вот что значит: спорт вырабатывает адреналин. Зачастую — излишний. — А с кем я говорю?

— Ну... скажем так... я хотел бы прочитать вашу книгу. Где ее можно купить?

— Послушайте, вам надо позвонить в издательство. А вообще-то во всех магазинах... — Тренер уже кивал мне, стоя рядом с огромным тренажером, похожим на пыточный инструмент времен инквизиции.

— Но, я думаю, нам все равно придется с вами встретиться, — сказал голос.

— О! — вдруг оживилась я, как самая последняя дурочка. С тех пор в тренажерном зале я отключаю телефон. — Так, может быть, вы — маньяк?

— Маньяк? — Голос в трубке неожиданно повеселел. — Точно: маньяк.

— Знаете что, господин маньяк? Всего вам доброго.

— А я вам этого не пожелаю...

Я бросила трубку. «Идиот какой-то», — уговаривала я себя. Но на душе было тоскливо и тревожно. Как в детстве, когда маму вызывали в школу. Когда ты не догадываешься, что будет, но одно знаешь наверняка: точно ничего хорошего.

— One! Two! Three! — скандирует моя эпиляторша, громко, бодро, с улыбкой старшей пионервожатой. Она работала эпиляторшей в Варшаве, потом — в Лос-Анджелесе, теперь — у нас.

Она так кричит, что кричать самой уже нет смысла.

— One! Two! Three! — Рывок. Улыбка. — Fashion is a lifestyle! One! Two! Three!

Интересно, если с утра по сто раз слушать: «Fashion is a lifestyle!» — это как-то отразится на поведении в течение дня?

После эпиляции нельзя принимать ванну. Зачем же я ее налила? Да еще высыпала туда полкоробки соли из Лондона, из «Halkin Hotel»?

— One! Two! Three! — Последний рывок, и я снова могу надеть мини-юбку.

Очень удобно: моя эпиляторша делает еще и маникюр. Я опустила пальцы в ванночку с теплой водой.

Зазвонил телефон.

Номер моей подруги Кати.

Беру трубку мокрыми руками.

— Дома? — Мне ее голос показался каким-то неестественным. Я пристроила трубку на плече, отправляя пальцы обратно в тепло.

— Дома. Привет. У меня маникюр. Ты куда вчера пропала?

Всхлипывания, стоны, частые гудки.

Маникюрша вытирает мне правую руку, и я набираю номер Кати. Левая — в ванночке.

Я одновременно и слышу и вижу свою взлохмаченную, зареванную подругу. Слышу «алле» в трубке, вижу — в дверях моей ванной.

— Катя! Бедная моя! Что случилось?

Подушка под мышкой, слезы, запах перегара. Катя еще не ложилась со вчерашнего вечера.

— Я не хочу жить, понимаешь? Я не могу жить! Ты знаешь, что это такое, когда не хочешь жить?

С Катей это уже неделю. Неделю она ложится в десять утра; встает в три; рыдает в телефонную трубку; заезжает за кем-нибудь из подруг; ужин в ресторане — шампанское, смех, хорошее настроение, иногда — угрозы в адрес того, с кем рассталась неделю назад. Потом — зажигательные танцы в клубе или неистовые песни в караоке. Потом — истерика. Слезы. Вырывание волос.

От нее ушел муж.

— Каким цветом красить?

Я выбирала между красным и бежевым.

— Я умру! Я больше не могу так! Я не выдержу!

— Беж, please.

Она сжимала подушку, и ее слезы капали на ткань и становились невидимыми, словно растворяясь в ней. Казалось, что подушка уже вся пропитана и Катиными слезами, и Катиным горем; хотелось жалеть и Катю, и подушку, и маникюршу, которая очень трогательно, по-американски делала вид, что все — okay.

— Ты же моя подруга! Помоги мне! Я не могу, не могу, понимаешь?

— Я понимаю, Кать...

— Я отравлюсь! Дай мне таблетки! Я нажрусь таблеток и сдохну! И мне будет хорошо!

Я дула на свои накрашенные ногти, чтобы они быстрее высохли.

— Хорошо. Я сделаю все, как ты хочешь. Но с одним условием.

Катя смотрела на меня, часто хлопая ресницами. Подушка лежала на полу рядом с ней.

— Ты сейчас — в муку́. И можешь говорить, все что угодно...

— Это не важно, я...

— Важно. Давай так: ты принимаешь ванну, кстати, она уже готова, трезвеешь, и, если после этого твое решение не поменяется, я дам тебе все таблетки, которые есть в моем доме. Договорились?

Катя тяжело поднялась с пола. Расстегнула рубашку.

Я протянула эпиляторше деньги.

— Thank you. — Голливудская улыбка.

— Okay. I'll call you. — Я проводила ее до двери.

Катя неуклюже поменялась местами с водой. Теперь Катя была в ванне, а вода — на полу.

Я всегда немного завидовала Катиным волосам. Они были жесткие и крепкие. Если про людей говорят, что некоторые из них твердо стоят на ногах, то Катины волосы твердо сидели на голове.

Я намотала их на руку и потянула.

Катя замычала и взмахнула руками.

Я с силой пригнула ее голову, погрузив лицом в воду. Катя упиралась, брыкалась, я не отпускала. Я уже промокла насквозь. Она билась ногами о чугунные края ванны.

Я разжала руку.

— Ну, что? Сдохнуть хочешь? Хочешь?! Хочешь?!

Она хваталась за меня, а я снова окунала ее головой в воду.

— Хочешь? Хочешь? Сейчас сдохнешь!

Она кричала, билась. Я тоже кричала и не отпускала ее.

— Хочешь?

— Нет! Прошу тебя!

Потом я кутала ее в розовый плед. Она пила чай и тихонько всхлипывала.

Она заснула у меня в гостевой.

Как раз пришла Ира, моя домработница.

— Кате какое постелить? В желтый цветочек или то, с месяцем?

— Постели в цветочек.

Я так и сидела в гостиной, со своей чашкой чая. Рассматривала свежий маникюр. Лак вроде не смазался.

Ира уселась напротив меня.

— Ну, что тут у вас происходит?

Ира приходила ко мне каждый день. Убиралась, готовила, стирала вещи. Лучше бы она этого всего не делала.

За Ирой ухаживал следователь. Николай. Еще у нее были какие-то Юра и Сергей.

— Ничего не происходит. Все нормально.

— Нормально? — возмутилась Ира. — Да разве же это нормально?

— А у тебя что? — я предпочла сменить тему.

— Я своего отшила!

Я даже не пыталась продемонстрировать заинтересованность. Продолжение последует в любом случае.

— Ушел вчера в баню. Представляете?

Я смотрела на нее молча, не кивая и не поддакивая. Вчера она постирала черные брюки, которые можно было только чистить.

— Пришел часа через четыре, с тортиком! Представляете?

Надо вытащить из корзины с грязным бельем белую кофту на пуговицах. А то она ее тоже постирает.

— С половиной, то есть, тортика. А?! Это какой же нормальный мужик, да еще следователь, будет в бане тортики есть? Представляете?

— Не представляю, — согласилась я.

— И я тоже! Значит, что? Значит — с девками был! Представляете?

— Представляю. Там полная ванная воды, посмотришь, ладно?

— Ладно. А на ужин что?

Я зашла к Кате. Она спала, с головой накрывшись одеялом. Наверное, спала.

Кате было 40. Она счастливая. В 40 лет она все еще надеялась умереть от любви.

Почти час я перебирала лекарства в домашней аптечке. Половина — просрочена. Половина — неизвестного мне назначения. Это то, что я привожу из Европы. А потом забываю. Я вообще много чего привожу из Европы: зубную пасту, шампуни, кремы, сыры, копчености, конфеты. Все это почему-то сильно отличается от того, что продается у нас. И лекарства в том числе. Я вообще не уверена, получилось бы у Кати отравиться нашими лекарствами? Хотя нашими, скорее всего, получилось бы.

Жалко, Алик улетел.

Алик — это наш товарищ. Он — гей.

Когда Ира работает, лучше уходить.

Вернее, лучше уходить еще «до».

— Приготовлю на ужин кролика! — крикнула Ира мне вдогонку.

— Не надо. Я сама приготовлю.

— Да где вам! Забудете!

Жалко кролика.

Я достала из машины солнцезащитные очки. Ира будет убираться часа четыре. Максимум — четыре с половиной. Можно поехать в Москву.

Солнце осенью похоже на планы после тридцати: светят, но не греют.

Можно заняться делами: съездить к косметологу или выкупить юбку, которую я отложила еще три дня назад.

Моя соседка Чернова встретила меня с мокрой головой и в махровом халате.

— Ты одна? — поинтересовалась я, имея в виду ее мужа.

Потому что ее кудрявого девятнадцатилетнего сына дома все равно никогда не было. Его выгнали из американского колледжа, и теперь он ждал следующего сентября, чтобы поступить в МГИМО.

Мне нравилось бывать у них дома. У них огромное натуральное хозяйство. За домом — огород и куры. Специально нанятые люди выращивают овощи.

Чернова — мулатка. Ее папа был негр. Она его никогда не видела. Но говорила, что, наверное, он похож на ее мужа. Ее муж — тучный голубоглазый мужчина, — слыша это, снисходительно улыбался.

По утрам у них во дворе поют петухи. Даже у меня слышно. Я сначала просыпалась, думала — галлюцинации. Слуховые. Потом все привыкли.

И Чернов-муж каждое утро получал на завтрак свежие яйца. И говорил о том, что пора завести козу.

У них в семье все было взаимно: и увлечения, и неверность.

Они прожили в браке 20 долгих лет, познакомившись еще в школе.

Темнокожая пионерка выгодно отличалась от своих субтильных одноклассниц. Формами, зубами и пластикой. Что конкретно из этих трех достоинств поразило будущего олигарха Чернова — неизвестно. Но он униженно носил за ней ее портфель и отзывался на имя Че Гевара.

Долгими эти 20 лет стали для них обоих.

Они грызли время, как мыши: по краям, не чувствуя вкуса. Но это устраивало и его, и ее.

— Алик долетел? — спросила Чернова.

Я сидела за барной стойкой, которая служила обеденным столом. За стойкой было два стула — ее и мужа. К тому, что сын снова дома, Чернова никак не могла привыкнуть.

— Пока не звонил. У меня Катька с утра сидит. Сейчас отсыпается.

— Как она?

— Так же.

— Вот подонок! Прямо зарезать его тупым ножом!

— В глаз!

— Ей уже лет-то... Не девочка.

— Мы уже все не девочки.

— Так-так-так! Упаднические мысли бросить!

— А давай я тебе на день рождения козу подарю?

— Козу? — Чернова задумалась. — Нет. Молоко пить придется, а оно калорийное. Я опять на килограмм поправилась.

— Я тоже.

— По тебе не видно.

— По тебе тоже.

— У меня живот.

— И у меня живот.

— У тебя телефон. — Чернова включила фен.

— Алло.

— Это редактор из издательства. Здравствуйте.

Я кивнула Черновой, волосы которой стояли дыбом под струей из фена, и выскочила на улицу.

— Да, я вас слушаю. — Когда я волнуюсь, я всегда говорю как провинившаяся первоклашка.

— Как ваше отчество?..

— Не важно, можно просто...

— Я прочитала вашу рукопись, и она мне понравилась. Мы могли бы издать ее.

— Ничего себе... — проговорила я.

— Да! Но мне было бы интересно узнать что-нибудь о вас. Сколько вам лет, чем занимаетесь? Писали ли раньше что-нибудь?

— Мне тридцать лет. Я домохозяйка. Я давно ничего не писала и ничем не занимаюсь. Год назад развелась. У меня сын.

— Какое у вас образование?..

— Филфак МГУ.

Мы договорились, что я приеду к ним завтра в Москву. Со мной познакомится издатель.

— Чего это вы такая довольная? — спросила Ира. Она разрезала кости кролика электрическим ножом. Ира подарила мне этот нож на Новый год.

— Ты знаешь, я написала книжку...

— Зачем? — удивилась Ира. Не выключая нож.

— Не знаю. Просто захотелось. И она понравилась редактору! Они хотят ее напечатать!

— А деньги за это платят?

— Деньги платят за то, чтобы ты кролика вкусно приготовила, а не за то, чтобы ты из его костей фарш делала. Выключи нож.

— Я буду говорить, что работаю у писательницы, представляете?

Я решила сама потушить кролика.

— Ну, хоть сколько-нибудь платят? — допытывалась Ира.

— Да не особо там платят... это другое. Я написала книгу, и она кому-то понравилась. Понимаешь?

— Вот если бы платили, я бы тоже могла написать.

— Про что?

— Да хоть про вас!

Кролик не получился.

Он вонял несвежей рыбой, и я обреченно вдыхала его аромат, пытаясь к нему привыкнуть.

Это был ужин для моей мамы.

Сегодня вечером она привезет из Ялты моего шестилетнего сына.

Девушка без харизмы – как переваренная креветка: под пиво пойдет, а так – нет.

# 2

Посмотрела телевизор.

Рассказывали про то, что в рамках кампании по борьбе с курением меняется дизайн сигаретных пачек. Сигареты теперь будут продаваться в коробке, похожей на гробик. Намек на скорую смерть.

Я подумала, что тогда надо поменять и дизайн автомобилей. И конечно же самолетов. И некоторая еда в супермаркетах тоже должна продаваться в гробиках. И дома, в которых живем. Гробик на колесах. Гробик с пропеллером. Со сроком хранения и показателем калорийности. Гробик с кухней и телевизором. И, собственно, сам гробик: гробик-переноска.

Я думала об этом, заходя в супермаркет. Тележка — гробик.

Я складывала в него продукты с полок.

Гробик — шапочка на голове кассирши.

— За телефон можно заплатить? — спросила я.

— Можно! — голос с того света. Из-под гробика-шапки.

Человек за мной — удивительно знакомое лицо.

Как будто эти глаза уже на меня смотрели.

Точно! Он — с телевидения. Аналитическая программа, которую закрыли почти сразу после выборов. Следом за ним написали заявления об уходе почти полканала. Нашумевшая история.

— Номер телефона?

Гробик — телевидение.

Я продиктовала свой номер. Протянула деньги.

Переложила пакеты снова в гробик-тележку.

Потом в гробик-машину. Джип.

Зазвонил телефон. Номер не определен.

Я ехала мимо вереницы таких же, как у меня, гробиков на колесах.

— Девушка! — незнакомый голос. — Вы пакет забыли! В супермаркете!

— Что? — не поняла я.

Зажав телефон между ухом и плечом, я включила дворники. Пошел дождь.

— Пакет в супермаркете. Вы сейчас где?

— Я? Я отъехала... — Я не стала ему рассказывать про гробик, в котором уютно ехала домой. — А вы кто? — поинтересовалась я довольно агрессивно.

— Да я никто. Я просто пакет ваш забрал. Думал — догоню...

— А откуда вы телефон-то мой узнали?

— Да вы же номер свой сказали кассирше, а у меня память профессиональная. Вы где?

— Да я... домой уже... — Я пыталась понять: это звонит ведущий? Нет, вряд ли.

— Вы на какой машине?

— Джип... зеленый...

— Так я за вами, оказывается, еду!

Я увидела его в зеркало.

— Остановитесь, я вам пакет отдам.

Я остановилась почти посередине дороги. У меня никогда не было проблем с парковкой.

— Здравствуйте, — он улыбался. — Меня зовут Александр.

Ведущий.

— А я знаю, — я тоже улыбнулась.

И забрала пакет в открытое окно.

— А у вас зонтик есть?

— Я не люблю зонтики, — сказала я.

И почему-то подумала: если идти вдвоем под двумя зонтиками, взявшись за руки, дождь будет капать? На руки? Или нет?

— До свидания, — сказала я. — И спасибо.

И нажала на кнопку стеклоподъемника. Дождь хлестал по стеклу, оно плавно поднималось, а лицо ведущего, наоборот, постепенно тонуло и исчезло окончательно, когда мое окно закрылось.

Когда я подъехала к дому, дождь уже закончился.

Как мило: в одном из пакетов оказались чипсы и банка сардин в томатном соусе. И еще тертый пармезан. Никогда не покупала ничего подобного.

За пармезан — спасибо.

А чипсы я не ем. Жизненные принципы не позволяют.

Сардины попробовала. Вкусно.

Съела полбанки и открыла пакет с чипсами.

Доела и то и другое.

Почувствовала себя телеведущей. Опальной.

Ай да Пушкин! Ай да сукин сын! Тоже, кстати сказать, Александр.

Вот так, значит, телеведущие сейчас с девушками знакомятся.

Я посмотрела на телефон — звонков не было.

Вспомнила его улыбку. И как он тонул. Достойно. Как капитан подводной лодки, который остался на корме. А лодка погружалась в море. Я где-то в кино видела.

Сытая улыбка не сходила с моего лица.

Я вышла на улицу. Странно, дождь прошел, а не холодно. Даже наоборот.

Я посмотрела в небо.

Лучше всего умереть как птица — на лету. Замерзнуть. И падать, продолжая полет.

Самолет Алика потерпел аварию. Они совершили экстренную посадку прямо на воду. Самолет летел из Гватемалы в Москву.

Он спускался по надувному трапу, сняв свои начищенные лайковые ботиночки. Вместо того чтобы ужинать в «Аисте» с друзьями.

Может быть, даже он потерял их. Ботиночки.

По «Муз-ТВ» показывали рейтинг туалетов в ресторанах. На первом месте — туалет с прозрачной перегородкой между мужским и женским. На четвертом — туалет с ванной. В ванне плавали рыбки.

Телеведущий не звонил.

Может быть, он вовсе и не знакомился со мной? Может быть, я действительно оставила пакет в супермаркете, а он по-честному хотел его мне вернуть? И случайно передал свои чипсы? Свои, наверняка любимые, чипсы!

Кажется, я покупала шампунь. В моих сумках его не было.

Зазвонил телефон. Странной, дребезжащей мелодией, как будто жаловался.

Мой телефон исхитрялся сам каким-то неведомым науке и технике способом менять звонок.

Сегодня я бы тоже с удовольствием подребезжала.

— Алло!

«Алло» бывает трех видов: с надеждой, равнодушное, с раздражением. Можно подсчитать количество «алло» из разных групп за целый день и составить психологический портрет исследуемого персонажа.

Все мои «алло» были из первой категории. Я еще надеялась.

Что это не случайность.

Что он со мной все-таки знакомился.

Что он мне позвонит.

Я страдала.

Я лежала на диване в гостиной и с наслаждением страдала.

Я упивалась своим страданием.

Я ждала звонка от мужчины! Прикольно.

В моем возрасте (уже тридцать!), пережив развод (чуть больше года), разочаровавшись в вечной любви (и любви как таковой), я ждала звонка! От мужчины!

— Ну что, ты хочешь стать великой писательницей и зарабатывать кучу денег? — спросили меня из трубки.

— Ну да, хочу, — ответила я, делая вид, что подобные предложения поступают мне по нескольку раз в день.

— Приезжай подписывать договор.

Так было даже лучше.

Я — везучая и счастливая. Мне хочется петь и улыбаться!

Я стану знаменитой писательницей и что там мне сказали про деньги?

А когда он позвонит, мое «алло» будет из третьей категории! «Сколько можно мне названивать!..»

Я пробежала глазами договор.

В Москве еще не начали топить, и в офисе издательства было зябко.

Я, наверное, последняя в Москве снимала босоножки и переходила на осенние туфли. Я и на «зимнее время» последняя переходила. Принципиально еще неделю не переводила часы. И всюду опаздывала.

— А почему тут написано, что перевод на иностранные языки тоже принадлежит вам?

— Это типовой договор.

Моему издателю было лет тридцать. Он был современный, лысый.

Он заканчивал работу ровно в шесть.

Ровно в восемь он ужинал в компании таких же современных и лысых приятелей.

Конечно, с ними были девушки.

Обычно разные.

Причем уже очень давно девушки из «Рая», «Дягилева» и «Оперы» слились у него в одно, даже не обязательно симпатичное лицо. Лицо-трансформер. Сегодня оно скуластое, завтра будет с голубыми глазами, а какое было вчера — не важно.

— Я получаю 20% от прибыли?

— Ну конечно. Мы же рискуем, мы вкладываем в тебя деньги. Сначала мы их должны отбить.

— Я возьму договор домой, почитаю.

— Послушай! — На его гладко выбритом лице глаза бегали туда-сюда, как в мультиках, когда изображают ночь. — У меня совсем нет времени! Нам нужен новый автор, не хочешь подписывать — не надо. У меня таких рукописей!.. — Он почему-то пнул ногой подоконник. Как будто рукописями была забита батарея.

Хотя через два часа в этом холодном офисе я была готова поверить во что угодно.

Не хотелось звонить мужу. Бывшему.

Услышать его скептическое: «Книгу написала? Ты?»

Конечно, писать книги, готовить завтрак, петь, танцевать, жить, быть красивой, любимой, не тратить деньги, уважать его привычки, не разговаривать по телефону, не дружить с дурами, не строить глазки его партнерам, не толстеть, не капризничать и все время улыбаться — может только его новая девушка.

Не я.

Звоню.

Ему некогда. Пытаюсь объяснить ситуацию в двух словах. Просит в одном. Называю ключевое. «Договор».

— Читай! — командует. И я с ужасом думаю о том, что вот так вот он командовал семь лет. Много.

Читаю.

— Это бред! — Он говорит о том, что роялти должны быть от оборота. А не от прибыли.— И вообще, возьми юриста! Кто сам подписывает договор?

Мне холодно.

Глаза из мультика уже давно соскочили с бритого черепа и носились по всему кабинету.

Все-таки мой договор — это не так серьезно. А потом, неизвестно, что будет завтра.

Рано или поздно начнут топить, ему придется извлечь рукописи из батареи...

— Ну, ладно. Подписываем.

Главное — что книгу напечатают.

Еще до Нового года.

— Только права на иностранные издания вычеркните.

— Хорошо, хорошо! Я уже на все согласен.

У меня красивая подпись. Я ее еще в школе придумала.

В офисе вроде даже потеплело. Глаза вернулись на место. Под брови.

— Ну, ты молодец! — сказал издатель. — Я таких жестких договоров еще ни с кем не подписывал.

Мне даже стало приятно. Какая я крутая! Сама, без юриста...

Это был первый и последний мой договор без юриста. Мой, а также всех моих друзей и знакомых.

Правило № 1: Если очень хочется что-то подписать, подпишите дневник своему ребенку. Если еще нет ребенка или он не ходит в школу (мой случай) — все равно подпишите, рано или поздно пригодится.

Он не звонил.

Позвонила моя подружка Марина. Она поссорилась со своим продюсером. И теперь он не берет трубку.

Позвонил мой приятель, мы иногда играем с ним в теннис.

— У меня угнали машину! — орал он в трубку. Подозреваю, что он обзванивал всех своих знакомых по записной книжке. У него был новый «Flying Spur». — Там были все мои скидочные карточки!!!

— Ужас, — согласилась я. — Не расстраивайся.

Последний раз я ему проиграла четыре сета подряд.

Это только осень. Так я решила.

Был третий день, если считать с того дня, когда я съела чипсы.

Он не звонил.

Ничего романтического в страдании я уже не находила.

Не то чтобы он был мне очень нужен, этот бывший телеведущий. Если бы позвонил.

Но он не звонил.

Я была старой и одинокой.

Я вообразила себе, что в меня можно влюбиться. Подслушать мой телефон, мчаться за мной в машине, стоять под дождем.

Но ведь так и было.

А потом он догнал меня, поговорил со мной — и разочаровался.

Я все еще достаточно симпатичная, чтобы можно было обратить на меня внимание, но, видимо, совершенно не обаятельная, чтобы в меня влюбиться. Без харизмы.

Девушка без харизмы — как переваренная креветка: под пиво пойдет, а так — нет.

Я — переваренная креветка.

А он не пьет пиво. Он ест чипсы.

В меня и в школе мальчишки не влюблялись. Все за Макаровой бегали. Она была самая высокая! А они все были с меня ростом! Кому это понравится?! В 14 лет?

Хорошая вещь Интернет.

Набрала его фамилию, инициалы. Двести с лишним ссылок. Ничего себе, действительно знаменитость. Всё про скандал на телевидении. Его обвиняли в излишней амбициозности, чрезмерной принципиальности... И ни слова о семейной жизни.

Заглянула на compromat.ru. Огромное количество статей, рецензии на его программу... Все очень позитивные. Только старые. Судя по всему, уже год о нем никто и не вспоминает. Фотографии, заголовки. «Конфронтация с властью», «Последний из могикан», «А мы пойдем на север!», «Демократия укрощает строптивых!», «Кто следующий?». Вот действительно, кто следующий?

Пошла без зонтика к Черновой.

С кем-нибудь поговорить, посмеяться, отвлечься!

Охрана Черновых пропустила, зная меня в лицо.

— Опоздаем! — разносилась по дому сирена, отдаленно напоминающая голос моей подруги.

Я и забыла, они же собирались в Лондон.

На спинке кресла сидел ее сын Сергей и спокойно болтал по телефону.

Чернова возникла передо мной, как атомный гриб. Страшная и непокорная.

— Я разведусь с ним! — кричала она. — Каждый раз одно и то же!

Одно и то же — это то, что ее мужу необходимо было принимать ванну перед каждой поездкой или просто важным событием.

И сейчас он наверняка плескался в пенистой воде с ароматическим маслом, не обращая на вопли жены никакого внимания. Потому что за 20 лет к ним привык.

Она к его ваннам привыкнуть не смогла.

— Нет, ты видел ее? — спрашивал Сережа телефонную трубку. — Когда она поднимает голову, она похожа на Мишу Бартон!

— Мы опоздаем! — кричала Чернова в пространство где-то у меня за спиной. — Сережа! Быстро в машину, в крайнем случае, поедем без него! Ты слышишь?! — снова в ту же сторону. — Мы уезжаем без него!

— Он? Он вылитый Ди Каприо в «Полном затмении»... — Сережа невозмутимо встал и повесил на плечо дорожную сумку «Lancel». Кожаную.

Я позвонила тренеру.

— Леночка, у тебя есть время? Мне ну очень-преочень надо... Ну, почему полгода? Ну, пожалуйста! Ладно, спасибо большое. Да, я поняла, через десять минут. Я поняла, что повезло. Все. Целую. Жду.

Попрощалась с Черновой.

Как звали ту актрису в «Иствикских ведьмах»?

Дома конечно же была Ира.

— Мне тут колбаски кровяной передали из Крыма, — встретила она меня в дверях с чем-то, завернутым в газету. — Поджарить?

— Через час. Ко мне сейчас тренер придет.

Я постаралась быстро пройти в комнату моего сына Антошки, которая служила мне залом для тренировок. Там была шведская стенка и мат.

Ира не отставала ни на шаг.

— Мой совсем с ума сошел, — говорила она, — представляете? В час ночи вчера пришел!

— Представляю, — кивала я.

— Мне знаете, что нужно?

— Что?

— Чтобы я вам SMS прислала: «Занята, не приду». Ну, как будто я ухажеру своему пишу.

— И что?

— А вы мне в ответ: «Схожу с ума от любви».

— Ир... — Я даже остановилась. — Почему ты мои бусы брала?

— Так я ж вернула! — Она как будто обиделась.

— Ты не можешь брать мои вещи.

— Почему? Я же ничего с ними не сделала, а следователь мой сказал, что в этих бусах...

— Ира! Уже осень! Убери, пожалуйста, с улицы подушки и сними чехлы с диванов. Там сыро!

— Прямо сейчас?

— Прямо сейчас.

— И пойду стирать.

— Пойди.

— Только у вас порошок такой, что им много не отстираешь. Дешевый. Вот у моей прежней хозяйки...

— Что же ты у нее не осталась?

— Так получилось, представляете? — Ира поджала свои и без того тонкие губы. — Она меня к мужу своему приревновала. А у вас... И мужа-то...

Я улыбнулась ей и закрыла дверь. Быстро.

Физкультурой лучше заниматься дома. По крайней мере, дома ты делаешь это уж точно для себя.

— В общем, неплохо, — похвалила меня тренер через час. — Но больше таких больших перерывов не делай.

— Не буду, — пообещала я.

— Сейчас можешь поесть, — она великодушно улыбнулась, — морской капусты, чуть-чуть овощей на пару́.

— Okay.

Из кухни доносились возбуждающие запахи жареной кровяной колбасы.

Он не звонил.

Колбасой пришлось поделиться с Мариной Сми.

Она приехала на новеньком «Мерседесе» баклажанного цвета.

— Не берет трубку, — сообщила она, ловко подцепив на вилку самый большой кусок.

Своего продюсера она действительно любила.

Их ребенку было уже два года.

Только об этом никто не знал. Потому что миф «любовный роман между известной певицей Василисой и ее продюсером» очень устраивал прессу. И, как следствие, самого продюсера тоже. И видимо, Василису.

— Позвони ему, — попросила Марина.

— И что сказать?

— Ну, что-нибудь... важное.

— Например? Что ты съела всю мою крымскую колбасу?

— Не всю. Вот еще кусочек. Забирай.

— А что?

— Ну, давай придумаем! Ты же можешь!

Я задумалась. А если и правда мне отключить на пару дней телефон, и пусть он названивает, этот телеведущий. Которого уволили. Значит, не так уж он был и хорош, кстати.

— Скажи, что я заболела. В больнице.

— Он спросит: в какой?

Мы решили, что надо разбить ее машину, дать деньги в травмпункте, чтобы ей наложили гипс, и тогда я позвоню продюсеру.

После непродолжительных поисков мы пришли к выводу, что трактор на соседней стройке — самый подходящий предмет, о который можно разбить машину.

Я стояла в стороне.

Лицо Марины за рулем выражало решимость и готовность идти до конца.

— Я не могу, — вдруг сказала она. — Новая машина, я не могу!

— Ну и что будем делать?

— Давай ты!

Я посмотрела на небо. Снова собирался дождь.

Села за руль.

Страшно.

— Может, не будем? — попросила я.

— Будем. Давай!

Мы вернулись домой и выпили по сто грамм виноградной водки Pisco.

Снова стояли у трактора.

Снова я смотрела на него из-за руля, как будто из-под бровей

Однажды в Черногории мы ехали по серпантину. Очень высоко. Мы тогда еще жили вместе, но оба понимали, что развод неизбежен.

Внизу были горы. Море. Красота.

Мы были слишком над ней, чтобы чувствовать свою сопричастность.

Я тогда подумала: что, если нажать на газ — не вписываясь в поворот, а прямо вперед, в пропасть, во всю эту красоту? Успею ли я получить удовольствие от полета? Или будет только предсмертный ужас?

Я представила себя в горах Черногории.

Реальность в виде трактора оказалась сильней.

Я посмотрела на Марину. Неожиданно для себя нажала на газ. Повернула руль, подставляя трактору пассажирское сиденье. Удар был несильным.

Вылетела только правая подушка безопасности. Марина закричала.

Я вспомнила слово «катарсис».

У нее зазвонил телефон, и снова пошел дождь.

Муж няни ее ребенка попал в автокатастрофу.

Марине срочно надо было ехать домой: няня уезжала.

«Мерседес» не заводился. К тому же вся его правая часть стала как будто частью трактора. Казалось, что если «Мерседес» поедет, то и трактор здесь не останется.

Я не могла везти Марину в Москву, поскольку даже сто грамм виноградной водки — это все-таки сто грамм виноградной водки.

Позвонила продюсеру. Уже из дома. Он не ответил. Хам! А мы из-за него машину разбили.

Марина пошла ловить такси.

Я стояла на крыльце босиком, а земля лежала у моих ног, словно мертвая.

Сосны врезались в небо, как наточенные кинжалы, и небо истекало кровью, а я подставляла лицо под теплые капли, и ловила их ртом, и чувствовала их вкус.

Позвонил телеведущий.

— Привет, — сказал он.

И я снова подумала: «Это только осень».

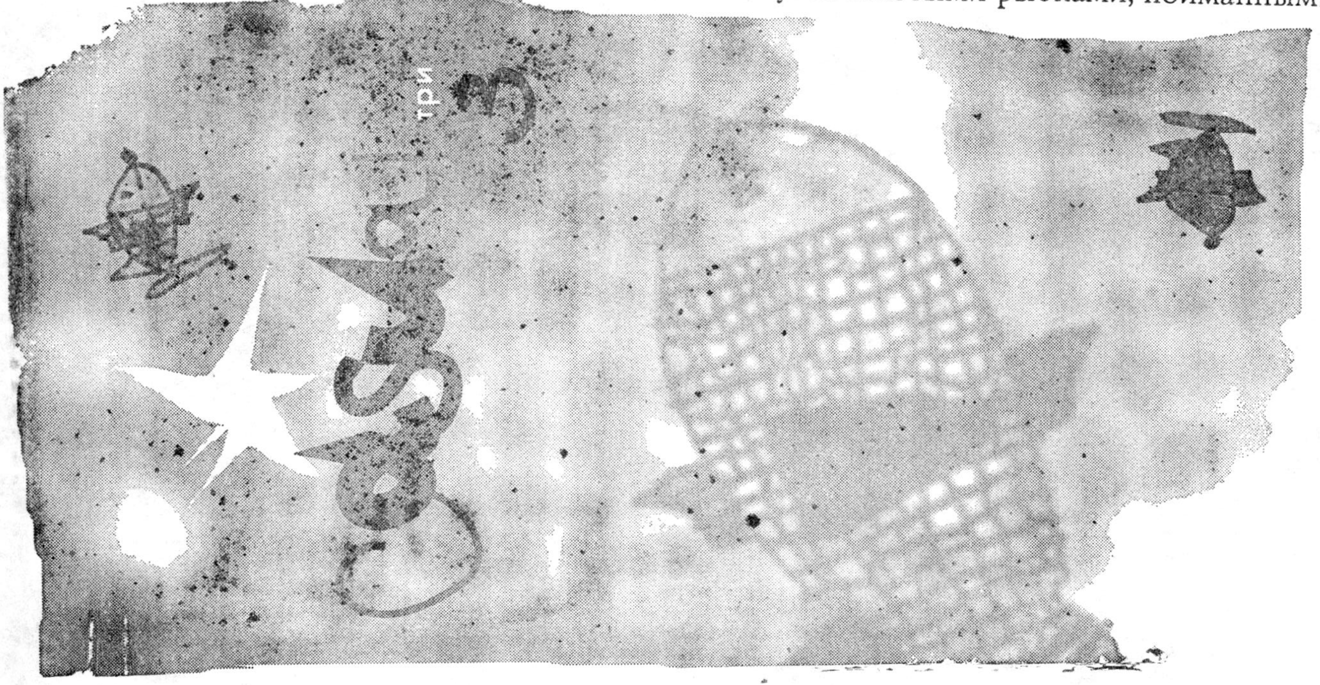


Звезды кажутся золотыми рыбками, пойманными небосводом. Хочется загадывать желания.

# 13

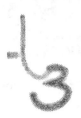

Иногда ершики для унитазов можно увидеть в самых непредсказуемых местах.

Этот я увидела на «Горбушке», когда покупала диски.

Не знаю, как все остальные, а я очень люблю покупать диски на «Горбушке». По 150 рублей. И каждый шестой — в подарок.

И еще я люблю покупать ершики для унитазов.

У меня дома довольно много туалетных комнат, в некоторых из них стоит по два ершика. В некоторых — три.

Этот был сделан в форме сердца, где стрела — сама щетка. Сто восемьдесят евро.

Дома мама вместе с моим сыном рисовали собаку.

— Посчитай, сколько ног у тебя получилось? — со смехом спросила мама у Антона, лишь мельком взглянув на меня. Чтобы, не дай бог, внимание ребенка не переключилось с бабушки («называй меня бабуля») на маму. Которую ребенок не видел целый день.

— Раз, два, четыре.

— Нет. Посмотри хорошенько.

— Четыре. А это хвост! Ты что, не видишь?

— А это?

— А! А это тросточка!

Бабуля смеется. Судя по всему, скоро дойдет очередь и до меня.

— Проверено! Четыре ноги! — Антошка замечает маму.

— Проверено! — подхватывает бабуля.

— Проверено гинекологом! — радостно уточняет мой сын: любитель рекламных роликов и канала «Муз-ТВ».

— Так... а что такое гинеколог? — Бабуля тянется к толковому словарю: она и меня в детстве приучала смотреть значение непонятных мне слов в толковом словаре. Этот увесистый том любознательный Антошка иногда читал и сам, просто так, вместо «Красной Шапочки».

— Гинеколог — это гений, который занимается нашей экологией, — говорю я.

И обнимаю сына.

Он меня рассматривает, глаза хитрые, все руки в разноцветных пятнах от фломастеров.

Как в старой сказке печка пекла пироги, так и Антошка печет улыбки на своем лице. Такие же румяные, такие же теплые.

— Я тебя съем! Я — Серый Волк! — кричу я, и мы начинаем возню, позабыв о бабушке, и ей это обидно, она направляется к дверям и оборачивается уже в коридоре:

— Антон! Быстро мыть руки! Посмотри, на кого ты похож!

— Я — Мойдодыр! — кричу я, подталкивая сына к ванной. — Мой — до — дыр! Мой — до — дыр!

Мне хочется сказать маме, что я соскучилась по своему ребенку, что мне хочется поиграть с ним, но я сдерживаюсь, потому что знаю, чем это закончится: обидой, поджатыми губами или, еще хуже, давлением и валерьянкой.

— Антона надо записать в садик! — говорит мама. — Он не общается со сверстниками.

— Давай. — Я и сама об этом думала. Даже садик приглядела. Рядом с домом. «Ромашка».

— Я отведу его, — говорит моя мама, — тебе же некогда. У тебя журналисты каждый день.

Звоню издателю. Восемь вечера, он где-нибудь ужинает. Не отвечает.

Отнесла сердце в туалет.

Полюбовалась минутку.

Каким-то бравурным маршем зазвонил телефон.

Мой издатель. Перезванивает.

— Как дела, звезда?

— Я не могу давать семь интервью в день. Я умру.

— По крайней мере, ты умрешь знаменитой.

— Хоть один выходной!

— Не волнуйся, через полгода от тебя все отстанут. Кстати, я хочу подписать с тобой договор еще на две книги!

— Еще на две книги?

— Думай, ладно? Мне нужен этот договор! Я же деньги в тебя вкладываю!

Вторая линия.

— Ну, ладно, я перезвоню.

— Пока, звезда!

— Алло.

«Алло» из первой группы.

Сегодня во время интервью меня спросили, чего я боюсь. Я ответила: потерять надежду.

Он:

— Привет.

— Привет.

У него слишком большие и смешно оттопыренные уши. Я рассмотрела их на первом свидании.

Мы встретились сразу после дождя. Громко молились лягушки.

И еще у него всегда такой недоверчиво-настороженный взгляд. Как будто мысленно он говорит: «Так-так-так...»

— Ну, как твои дела?

— Ничего.

Он не звонил два дня. Я не упрекаю его. И изо всех сил стараюсь говорить так, чтобы в голосе не было обиды.

— Дома?

— Дома.

— Не поедешь в Москву?

Разве так приглашают?

— Поеду, наверное.

— Да? А куда?

— Не знаю. Может, поужинаю с Катей.

Вообще-то я собиралась лечь спать.

— Ну, отлично. — Он как будто обрадовался. — Тогда на связи!

— Okay. — Как будто мне безразлично.

Срочно набираю Катю.

— Пойдем поужинаем?

— Не могу.

— Ну, пожалуйста.

— А что такое?

— Просто... ну, пойдем?

— Ну, пойдем.

Мы мило провели вечер. Катя рассказывала про женский клуб «Эгоистка».

Мужской стриптиз.

— Пошли со мной. Тебе понравится! Там такие мальчики! — Она как-то гортанно не то засмеялась, не то захрюкала.

Он ухаживал за мной так, как ухаживают друг за другом дети: дразня и больно дергая за косички.

В 12 ночи я отключила телефон.

В 12.15 включила опять.

Он не позвонил.

Наверное, он звонил в эти пятнадцать минут. Ну зачем я отключила телефон!

Наверное, он решил, что я не поехала в Москву и легла спать.

Я не поехала в «Эгоистку».

Я легла спать.

— Привет!

Он позвонил в пол-одиннадцатого утра.

— Привет!

— Как дела?

— Ничего.

Он позвонил слишком рано, так что я еще не начала ждать его звонка. И поэтому голос мой звучал естественно и почти равнодушно.

— Дома?

— Дома.

— Позавтракаем? На «Веранде»?

— Не могу. У меня все расписано. Сегодня четыре интервью и три съемки.

— Через полчаса? Я за тобой заеду.

Я улыбаюсь трубке.

— Ну, все. Я еду, да?

— У меня будет максимум тридцать минут.

— Разберемся.

Он приехал. Он радостно возбужден.

— Я волновался!

— Почему? — Надеюсь, я не краснею.

— Потому что к тебе ехал! А ты?

— Что я?

— Ты волновалась?

Я смеюсь.

— Ну, признайся честно, волновалась?

Он ставит диск. Попса. Он щелкает пальцами и подпевает:

— *Плачет дождик, в листьях шурша.*

*И, как дождик, плачет душа!*

И я понимаю, почему он стал, например, политическим обозревателем, а не певцом.

— Нравится? — улыбается он.

Я вообще попсу не люблю.

— А кто это поет? — вежливо интересуюсь.

— Да какая разница! — Он снова подхватывает припев и хохочет.

Я улыбаюсь.

Мы подъехали к «Причалу».

Позвонил Алик.

Он торчит в Гватемале. Он уже три раза поднимался на борт самолета и три раза кубарем выкатывался из него.

— Алик, — уговариваю я в трубку, — ты же не можешь поселиться в Гватемале.

— Не могу, — соглашается Алик. — Но лететь я тоже не могу. Не могу!

Он бросает трубку.

Мы просим принести кальяны.

Александр голоден: он заказывает стерлядь на гриле.

— Как ты относишься к «Chassagne-Montrachet Les Chaumees» 2000 года? От Olivier Leflaive?

Я киваю.

— Так я и думал, — говорит он. — Если у девушки есть вкус, он есть во всем.

В «Причале», кроме нас, почти никого нет. За соседним столом пара блондинок. Они тоже курят кальяны.

Мы говорим о том, что о девушке можно судить по ее сумке.

Моя осталась в машине. Я иногда вообще хожу без сумки. О чем это говорит? Что иногда я унисекс?

Мы начинаем цинично рассуждать о том, что сумка может быть широкой или узкой, она может запросто распахиваться или, наоборот, надо потрудиться, пока один за другим щелкнут все замочки.

— Она может быть потертая и бесформенная, — морщится мой телеведущий, поглядывая на мягкую, с черепами, сумку девушки-соседки в кашемировом спортивном костюме.

— Но это может быть и самый яркий предмет во всем облике девушки! — подхватываю я, разглядывая ее подружку — на ней джинсы, свитер и яркая зеленая сумочка от Jil Sander.

— О, да! — несколько двусмысленно улыбаясь, соглашается мой оппонент. — Очень часто это самая яркая деталь... гардероба.

— Ну, а может быть — это просто аксессуар, неотъемлемая часть любой женщины.

И как она с ней обращается: кокетливо держит в руках, и если отпускает, то недалеко от себя, или бросает с размаху на любое свободное место. И вообще: сколько их, так ли обязательно ей их менять или можно иметь одну, любимую. Такую удачную, что подходит почти ко всему. А если и не очень подходит... ну и ладно, а то в ней столько всего, что перекладывать в другую не хочется.

Звоню в «Cosmopolitan».

— Хочу извиниться. Машина сломалась прямо на Рублевке. Здесь ГАИ, ФСО, вы же понимаете — правительственная трасса. Не знаю, когда приедет эвакуатор... ужас... неужели под меня декорации строили?.. Что же делать? И я так мечтала у вас сняться... завтра уже разбирать? Ну, извините...

— Видишь, как просто! — говорит он.

— Неудобно все-таки. Они декорации...

У меня дома целая полка с огромным количеством маленьких разноцветных сумочек. Которые я не ношу. Потому что обычно хожу с большой черной. Но как важно мне иметь эти разноцветные! И я их все покупаю и покупаю И буду!

Пришло SMS-сообщение.

— Кавалеры пишут? — интересуется он, смешно шевельнув ушами.

— Можно я буду звать тебя Лопух? — Я кокетливо заглядываю ему в глаза.

— Ничего себе! — Он нахально разглядывает меня. — Так интимно?

— Достаточно интимно, — соглашаюсь я, и рот мой неумолимо расплывается в улыбке.

— Тогда зови меня просто Пух!

— Но ведь это не значит, что ты будешь звать меня Пятачок?

— Пока нет, — многозначительно произносит он. — SMS читать будешь?

Читаю: «Приехать не смогу». Бред какой-то. Номер неизвестный.

— Ошибка, — говорю я. И на всякий случай, словно хочу скрыть правду, опускаю глаза.

Звоню в «Вечернюю Москву».

— Придется отменить сегодняшнее интервью. Я очень извиняюсь... я так переживаю... да, да, ну, просто никак не получится... В любое время, нет, завтра нет, до следующей недели все расписано, но вы звоните во вторник, и я под вас подстроюсь. Да-да. В любое время!

Снова SMS.

— Да ты со мной играешься? — довольно улыбается он.

«Юра, извини, я на работе. Устала, было много глажки. Ира».

Точно. Моя домработница.

— Ответишь? — спрашивает он, немного ревниво.

— Отвечу, — в тон ему киваю я.

«Люблю. Не могу жить без тебя».

Нет, слишком банально. Стерла последнюю фразу.

Написала: «Хочу от тебя детей». Отправляю.

— Знаешь что? — говорит он.

— Что? — спрашиваю я.

— Пообещай мне одну вещь...

— Только не покраситься в блондинку!

— Нет. Знаешь, я был ужасным ребенком — когда мама приносила мне игрушки, я их сразу разбирал. Мне было интересно только то, что у них внутри. И так до сих пор...

— Разбираешь игрушки? — Мы разговаривали, как будто играли в пинг-понг.

— И игрушки тоже.

— Пообещать тебе поставлять игрушки?

— Да нет... это у тебя не получится.

— А что получится?

— Возможно получится, — он сделал ударение на слове «возможно», — не писать мне SMS.

— Легко получится! — бодро ответила я, немного уязвленная.

Мы закутались в пледы и вышли к речке.

Я отменила еще «РБК» и журнал «ТВ-Парк».

Мы провели вместе шесть часов.

Орали лягушки.

В унисон им звонил мой телефон.

— Алло, привет! Узнала?

С тех пор как мои фотографии появились на первых полосах всех изданий, мне звонили все подряд. Говорят, номер моего телефона висел в Интернете.

— Не узнала? Ну, конечно, стала знаменитой, куда уж нам, это — Шурик! С факультета, ну?

— А! Шурик! Здорово! — Мы вместе учились.

— Слушай, у меня к тебе предложение: очень хороший бизнес-проект — несохнущая зубная паста.

— Удобно.

— Еще бы! Представляешь, сколько разводов это предотвратит?

— Представляю...

— Хочешь поучаствовать?

— В каком смысле?

— Ну, как компаньон. Или как лицо, как бренд.

— Не знаю...

— Мы думали пиарить это так, что зубная паста — против целлюлита! Здорово?

— Здорово.

— Или повышающая либидо.

— Лучше от целлюлита.

— Ты согласна?

— Нет. Я сейчас не могу. Извини.

— Может, подумаешь?

— Ну, давай подумаю.

Как-то очень быстро стемнело.

Луна была такой полной, словно наелась с вечера мучного.

Мы пробыли вместе весь день.

— Ну, пока. — Его глаза смеялись.

— Пока, Пух.

Я старалась держать спину прямо.

— На связи.

— Ага.

Я думала о том, что отменила несколько съемок. Никогда не надо жалеть о сделанном.

Но здесь-то как раз о несделанном!..

Моя мама в отличной форме.

Она каждое полнолуние голодает. И еще несколько дней, пока фаза луны не спадет — сидит на диете.

А еще раньше она в это время делала эпиляцию. Именно поэтому теперь необходимость в эпиляции у нее вообще отсутствует.

Она встретила меня с улыбкой.

Приятно.

— Я открыла себе бутылку вина, ничего?

— Конечно, ничего. Мам, зачем ты спрашиваешь?

— Ну, я же не дома...

Раздражение похоже на ежика. Надо подойти к нему по-доброму, и он раскроется и перестанет колоться.

— Мама! — Я улыбаюсь. — Чувствуй себя как дома!

— Но не забывай, что ты... — У нее действительно было хорошее настроение.

Я увидела на столе открытую бутылку вина. Красное. Испанское. «Vega Sicilia Unico». Мне подарили на Новый год. С какого-то очень престижного аукциона. Я тогда решила, что это вино — достойное начало для моей коллекции.

— Мама, ты хоть бы позвонила! — Стыдно признаться, я чуть не расплакалась.

— Что?

— Вино. Это коллекционное. Оно же убрано было... Хоть бы спросила... Телефон же есть...

— Ну, так я и знала...

Она сказала это таким тоном, каким я разговаривала с мужем весь год перед разводом.

И так же закрыла за собой дверь.

Могла бы я и промолчать.

В конце концов, у меня есть коллекция ершиков для унитаза. И один из них в виде сердца.

Всего несколько занятий в тренажерном зале, и у меня появились трицепсы.

Эту фразу рука написала сама.

Потому что планировалась совсем другая: «Всего несколько занятий в тренажерном зале, и они надоели так же, как тренер у меня дома». Вот так — честнее.

Он не звонил.

Более того — я позвонила сама. Мне столько всего нужно было рассказать ему! Я уютно закуталась в плед, набрала его номер и приготовилась от души поболтать. Как тогда, в «Причале».

Я даже заготовила первую фразу. Я ее немного посолила и даже поперчила. Пока шли гудки, я задумалась, не сбрызнуть ли ее уксусом, поскольку нет предела совершенству. Телефон отключился еще до того, как я попробовала эту фразу на зуб.

Он не взял трубку.

— Мне сделали предложение, представляете? — сообщила моя домработница. — И он сказал, что тоже хочет иметь от меня детей!

— Поздравляю, — ответила я.

— Я видела вас по телевизору. Что это у вас на голове-то было?

— Прическа, Ира, прическа. Хочешь сделать себе такую на свадьбу?

— Да не дай бог! Лучше уж в девках ходить...

— После свадьбы ты увольняешься?

— Что это вдруг? — Ира сделала обиженное лицо и остановилась, раздувая ноздри.

— Ну, просто. Может, он не хочет, чтобы ты работала.

— Это у вас: хочет не хочет. А у нас: надо. У следователей зарплата-то, представляете?

— Не представляю.

— А за SMS спасибо. Ну и крику было!

Так спешила выйти из дома, что забыла кошелек.

Ладно.

Телевидение снимало меня на выставке «Мир искусства».

С двух камер.

Я смотрела на «Элизиум» Бакста.

Такая неброская красота, такие размытые очертания. Как будто я была там. Или кто-то мне рассказывал.

И мне это нравилось.

— Скажите, чтобы стать известной писательницей, обязательно жить на Рублевке?

— Не обязательно. — По замыслу режиссера, я смотрела на картину.

— А какая отличительная черта рублевских девушек?

— Я вам отвечу, если вы мне назовете отличительную черту девушек из Бирюлева.

Это сон. Точно. Это мои сны. Эти цвета, эти линии похожи на мои сны. Так легко и спокойно.

— А говорят, что эту книжку написали не вы? — Микрофон длинный, как нос оператора. Но я не кусаюсь.

Пожимаю плечами.

Как объяснить?

Над пропастью письменного стола я страдаю галлюцинациями. С детства.

Улыбаюсь:

— Я.

Он не звонит. Я отдавала телефон оператору — ни одного пропущенного звонка.

Я — эксперт на съемке «Шоу рекордов Гиннесса». Российских.

Мне так удобнее: целый день или телевидение, или газеты. Не смешивать и не сбалтывать, как говорил Джеймс Бонд.

Человек с накачанными мышцами спины сожрал 37 тараканов.

Они сыпались с его руки, разбегались в разные стороны, он преграждал им дорогу ботинком, ловко подхватывал с пола и засовывал в рот.

По-моему, он их не жевал.

Надеюсь, что я улыбалась. В камеру крупным планом.

Мировой рекорд был — 36 тараканов. Мы его побили.

Наверное, я должна была испытывать гордость. Меня подташнивало. После съемки мне дали кофе. Тараканы активно шевелились у меня во рту.

В ресторане НТВ снимало мой обед с подружкой. Подружкой была Катя.

В каждой ложке супа, который я гламурно отправляла в рот на крупном плане, жирно плавал, перебирая ножками, черный усатый таракан.

— Звук не пишем? — интересуюсь я.

— Нет! — кричит режиссер. — Но вы разговаривайте о чем-нибудь, мы потом интервью подложим. И жестикулируйте! И иногда — официанта в кадр.

— Я влюбилась! — Катя зажмурила глаза.

— Отлично! — похвалил режиссер.

— В кого? — негромко спросила я.

— Не поверишь! — Она снова зажмурилась.

— Хватит! — не одобрил режиссер. — Давайте другие эмоции!

— Кто? — настаивала я, активно размешивая суп ложкой и улыбаясь.

Катя захихикала.

— Стриптизер. Ну, стриптизер он.

— Да ладно!

— Ему 26.

— Ух ты!

— Отлично, девушки, еще поживей!

— И прямо влюбилась?

— Ага. Я думала, со мной уже такого никогда не случится.

— Ну, ты даешь. А он?

— Он без ума от меня. Я сейчас к нему еду.

— Симпатичный?

— Вот такой огромный! — она взмахнула руками.

— Эту эмоцию еще раз! Повторяем!

Катя снова взмахнула руками.

— Вот такой большой! Я так счастлива!

— Познакомишь?

— Попозже. А то он сейчас всех стесняется.

— Все, девушки, спасибо!

Я с удовольствием отодвинула тарелку с супом.

Занялась аутотренингом — представила себе, что таракан, которого я сейчас проглочу, — последний.

Проглотила.

Вроде все.

Максимум — усики остались. Я их выплюнула. Они неприятно щекотали щеку.

Припарковалась в Крылатском, возле магазина звукозаписи.

Раньше я в таких только в Америке бывала.

— Чем могу помочь? — Менеджер.

— Мне песня одна нужна, но я только несколько строк помню.

— Кто исполняет?

— Не знаю.

— Ну, напойте! — Менеджер был похож на Серого Волка.

Игрушечного.

Его хотелось щелкнуть по носу.

— Ой, — я застенчиво опустила глаза.

— Ну же! — Мне казалось, что он сейчас проскандирует, ударяя барабанными палочками друг о друга: «Раз-два-три, и!..»

Мне бы помогло.

— У меня голоса нет.

— Не важно.

— Дождик плачет, листья шуршат, — проговорила я вялым речитативом, — что-то там, и плачет душа.

— Не знаю. — Он нахмурился.

Я покраснела.

Взял какой-то диск, надел на голову наушники, послушал.

— Нет, — покачал головой. — Как там? Еще раз?

Будь что будет, я отчаянно пропела:

— *Плачет дождик, в листьях шурша-а-а,*

*И, как дождик, плачет душа-а-а-а.*

— Так-так. — Он с ловкостью практикующего фокусника менял диск один за другим и вдруг воскликнул: — Я понял! Это группа «Премьер-министр»! — и передал мне наушники.

Я стояла в наушниках и радостно улыбалась.

— Она?

Я кивнула.

— Случайно вспомнил.

— Спасибо, — сказала одними губами.

Дослушала до конца.

Отдала ему наушники.

— До свидания. — Улыбнулась.

— Так вы брать будете?

— Нет. — Опять улыбнулась.

— А я вашу книгу читал! — крикнул он мне вдогонку.

— Спасибо! — обернулась и улыбнулась в третий раз.

Такое пронзительное ночное небо! Так необычно для поздней осени...

Звезды кажутся золотыми рыбками, пойманными небосводом. Хочется загадывать желания.

Я вернулась и купила диск.

Было в этих отношениях что-то такое, что и пугало, и притягивало.

Как чужое горе. Как дверь, за которой кто-то застрелился.

Радуйтесь, Александр. Мне захотелось слушать группу «Премьер-министр».

Радуйтесь, если хотите.

Мне в общем-то все равно.

Такой странный номер: 755-55-55. Ответила. «Алло» из первой группы. Тем не менее. С надеждой.

— Ну что, соскучилась?

Незнакомый голос.

— С кем я говорю? — Уже поняла, что явно не с тем, с кем хотелось бы.

— Не узнаешь меня? Это плохо. Ты лучше меня не расстраивай. Вот так сразу.

— Что вы хотите?

— То, что я хочу, я — получу. Можешь не сомневаться, сучка...

Я выключила телефон.

Идиот какой-то.

Неприятно.

У меня есть его номер. Попрошу кого-нибудь перезвонить.

Неприятно. Неприятно. Неприятно.

Сидела в машине и в четвертый раз слушала песню про дождик.

Мне приснилось смертельно бледное небо.

И мне кажется, что т-то такое же большое, как осень, наполняет мое сердце — это тихая свобода, это счастье — просто быть.

# 4

Когда журналист улыбался, его лицо было похоже на тыкву во время Хеллоуина. Я даю интервью во «Fresco»?

— Вы такая хорошая, я, честно говорю, ожидал увидеть вульгарную особу с Рублевки!

— Спасибо.

Через 20 минут должна была приехать Регина.

— Ну, вот, скажите: а вы бы могли выйти замуж за бедного? Или он обязательно должен быть миллионером?

— Миллионер — это как симпатичная девушка. Вы ведь не женитесь на ней только потому, что она симпатичная?

— О! О! О! Как вас недооценивает мой главный редактор!

В тыкве, наверное, стояла свечка. Его мозг кипел. Но — все равно! — приятно. Хотелось умничать. Я даже пожалела, что Регина не опоздала.

— Извините, у меня следующая встреча, — сказала я.

— Конечно, конечно! — Он подскочил. — Вы только разрешите мне поцеловать вас?

Я даже не успела ответить, как он звонко чмокнул меня в щечку.

— Что это было? — поинтересовалась Регина, глядя вслед пружинистому журналисту.

Я махнула рукой.

— Ну, у тебя как, Регина? Опять влюбилась?

Никогда не прощу ее предыдущему того, что он не разрешал Регине читать мою книгу. Не потому, что опасался морального воздействия на ее неокрепшую психику, а просто так. Ревновал. Он ей и журналы не давал листать, если они вдвоем в машине ехали. Ничто и никто не должен был отвлекать Регину от него, любимого.

Разрыв был ярок и стремителен.

Как и все предыдущие ее разрывы.

— Не знаю. Но он мне очень нравится. — Регина листала меню.

— С подружками пока не запрещает общаться? — поинтересовалась я.

Регина развелась с мужем года четыре назад.

С мужем они тоже прожили недолго, даже детей не успели завести.

Бывший муж ей помогал. Материально. Потому что Регина никогда не работала. Потому что ничего не умела.

Она закончила библиотечный факультет Института культуры.

Она говорила, что после того, как снова выйдет замуж и родит ребенка, она станет основателем общественной библиотеки. Как меценатка Варвара Алексеевна Морозова. Или как Путин теперь — в Питере.

Регина заказала буратто с помидорами и вино «Barolo Zonchera» от Ceretto. Регина была гурманкой. Она говорила, что вкусно есть и не пить при этом хорошее вино — значит предаваться греху чревоугодия. А так — это удовольствие чисто эстетическое.

— Может, винишка? Я, правда, за рулем...

— Не могу. У меня сейчас встреча с читателями.

Небольшой стол в книжном магазине, микрофон, читатели.

Я подписываю книжки.

Помню, как несколько лет тому назад секретарша Никаса Сафронова написала на его книге «От всей души...», а Никос размашисто расписался.

Я заглядываю людям в глаза, я спрашиваю, кем им приходится Василий Петрович, которому я подписываю книгу, я пробую писать что-то личное, что-то теплое и душевное.

«Снежанне — обладательнице такого необыкновенного имени», «Оленька! У вас такие красивые глаза! Любви!», «Петя, почаще улыбайтесь!»...

Одновременно отвечаю на вопросы.

— Вы, наверное, теперь в депутаты будете баллотироваться? — спрашивает женщина с историческим начесом. Не пойму: с надеждой или с укором? — Ну как, будете? — повторяет она. Я заметила: большинству людей нравится говорить в микрофон.

И я в этом большинстве.

Громко, на весь магазин декламирую Хлебникова:

*— Мне гораздо приятнее*
*Смотреть на звезды,*
*Чем подписывать*
*Смертный приговор!*

Какая-то маленькая, в сером пальтишке женщина протянула мне тетрадный листок. Я расписалась «Всяческих Вам Улыбочек!».

— Напишите Анне Маныг! Люди! — Она обернулась назад. — На наши деньги, которые мы платим в виде налогов, ежегодно, варварски уничтожаются бездомные кошки и собаки! Наш народ... — охрана магазина пробивалась через очередь людей, ожидающих автографа, — ...всегда отличала способность сопереживать... — Двое мужчин в форме цвета хаки взяли женщину под руки. — ...Я спасаю собак на улице! — Она вырывалась, ее тащили к выходу. — ...Дайте мне оставить свои стихи! — Она упала на пол, ее подхватили, она размахивала белой папкой с зелеными шнурками. Кто-то из очереди поднял эту папку, через молодого человека в очках ее передали мне. Я завязала зеленые тесемочки.

Женщину увели.

— Подпишите Люсе, это моя невеста. Она вас очень любит.

Я улыбнулась ямочкам на его щеках.

«Люсе, у которой такой милый молодой человек. Любви!»

Позвонила ему из машины.

— О! Привет, привет!

— Привет. Хотела тебе анекдот рассказать, очень смешной...

— Давай! Анекдот так анекдот, не вопрос.

— Я его забыла...

— Тоже смешно. Ты где?

Я была на Лубянке, он — на набережной.

Уже через десять минут он пересел в мою машину.

— А что, если нам поесть рыбы? — предложил он, оглядываясь в моем салоне. Розовые мишки на присоске не висели на моих окнах, и даже дезодорант-елочка не болтался на зеркале.

Он удовлетворенно улыбнулся, только когда заметил фиолетовые туфли на заднем сиденье. Они валялись каблуками в разные стороны как раз рядом с белой папкой. С зелеными тесемками.

Он позвонил в «Паризьен».

Все зарезервировано.

— Я попробую через справочную.

Набрала 101-2222. Они там меня знали. Даже номер телефона не переспрашивали. Удобно.

— Девушка, пожалуйста, — попросила я, — скажите им, что прямо очень, очень есть хочется. А вкусно — только у них.

— Сейчас перезвоню. На сколько человек?

— На двоих.

Она перезвонила через минуту.

— Они нашли маленький столик на двоих в центре зала, — гордо сообщила я Александру.

— А что, раньше его не было видно?

Мы заказали черную треску и бутылку «Terre di Franciacorta Chardonnay» 2003 года от Ca`del Bosco.

— Ну, что случилось? — Александр ласково посмотрел на меня и снова стал Пухом.

— Все смотрят, — вздохнула я.

— Что?

— Ну, все смотрят. Вон, даже официант стоит и пялится на меня.

— А ты не обращай внимания.

— Как же не обращать внимание, если я жую, а меня все разглядывают? Я, даже когда маленькая была, ненавидела, когда на меня смотрели. Знаешь, как это: «Ой, посмотрите, какие у нее миленькие косички!» Я готова была сквозь землю провалиться!

— А ты на меня смотри, а не по сторонам.

— А у тебя такое было? Ты ведь звезда телевидения?

— Было...

— И как ты? Тебя это раздражало?

— Когда девушки смотрели?

— Ну, да, тебе-то что...

— Шучу. Представь себе, что мы — одни. Во всем ресторане. Представила?

— Вроде да.

— И как?

— Романтично.

— И не отводи от меня взгляда.

— Как будто я перед этим официантом притворяюсь.

— Да улыбнись ты ему уже!

Улыбнулась.

Подействовало.

Мы остались одни.

Мы говорили обо мне. И мне это нравилось. Он обращал внимание на мелочи. Оказывается, у меня изящный поворот головы (кто скажет, что это — мелочь?) и у меня длинные пальцы. Не играла ли я в детстве на фоно? Нет. А он играл. А чем он сейчас занимается? Он? Да так, ничем... Он заметил, что, когда я уставшая, я всегда подбираю волосы в хвост. Неужели? Не замечала. Он совсем не хочет говорить о себе. А не работать? Не скучно? Скучно работать так, как ему предлагают. Неужели нет ни одного интересного проекта? Он же профессионал? Ну... есть одно... Только не Москва. Краснодарский край... Его приглашают туда, поднять местное телевидение...

— Но это же здорово? — спрашиваю я.

— Здорово, — соглашается он, совершенно без энтузиазма,— только надоело мне это все... смысла не вижу...

— Ты не гибкий, — говорю я. — Я про тебя в Интернете читала.

— Не гибкий? — улыбается он, как всегда, немного двусмысленно. — Ну, я же мужчина.

Он довел меня до калитки за руку. Моя рука чувствовала себя в его руке как в норке. Тесной, уютной норке.

Дома открыла папку с зелеными шнурками. Стихи.

Осторожно прочитала:

*«Мы все в одной упряжке*
*И всем нам нелегко.*
*Если будем относиться друг к другу гадко,*
*Уйдем недалеко».*

Закрыла. Покачала папку в руке.

Выбросила.

— Что это ты сидишь тут, в потемках? — Неожиданно появилась моя мама. Обычно в такое время она уже спит.

— Так... уже спать иду. У вас все нормально?

— Да. Папа приезжает с дачи, так что мы еще у вас несколько дней побудем. Антон по дедуле соскучился. Если ты не против.

— Ну конечно, не против. Спокойной ночи. Я так устала сегодня.

— От интервью?

Я обернулась:

— И от интервью тоже.

Вспомнила про деньги, вернулась на кухню. Первого числа каждого месяца я оставляю родителям деньги.

Мама читала стихи из белой папки.

Я посмотрела на помойное ведро. Все время забываю его закрыть.

— Мам, вот деньги на ноябрь.

Она не поднимала голову от аккуратного ряда машинописных четверостиший.

— Пока.

— Стихи пишешь? А чего выбрасываешь? Не взяли их?

Я минуту молчала.

— Мам, это не мои стихи. Я пошла спать.

— Если ты не хочешь со мной разговаривать, совсем не обязательно давать мне деньги.

— Мам, ну при чем тут деньги?

Я вернулась.

— При том. Как будто откупаешься.

— Мам, ну что ты говоришь? Я действительно устала... Я же с утра...

— А в машине ты час сидела с мужчиной, ничего, а как со мной поговорить... Ладно! Я пошла спать!

— Мам, ну, просто ты про стихи меня спросила... как ты могла подумать, что это — мои? Ты мою книгу прочитала?

— Отец прочитал, я тебе говорила, ему очень понравилось. А у меня — давление, я могу только телевизор смотреть, да и потом, я не думала, что тебя интересует мое мнение.

— Мама! Если бы это были мои стихи, разве можно было бы так просто сказать: «Не взяли?» Мам?

— Все. Ты кричать начала, опять я что-то не то сказала... я лучше спать пойду... Спокойной ночи.

Во двор вышла луна.

Она нагуливала аппетит. Она поправлялась.

Разухабисто зазвонил телефон.

Алик.

— Алик! — кричу я. — Ты где?

— Во Флоресе. Я приехал сюда на школьном автобусе. Ты бы его видела — чемоданы на крыше, весь разрисован всякой дрянью. Аборигены с нечищеными зубами — улыбаются.

— И куда ты дальше?

— Ты знаешь, здесь при въезде спрашивают, не везешь ли фрукты...

— Ты не вез?

— Ну конечно, у меня в руке оказался этот долбаный банан!

— И что?

— Ничего. Они показали мне дорогу майя. Я доберусь по ней до реки Усумасинта.

— Здорово.

— Я тебе позвоню еще. Ты никуда не летишь?

Иногда я не сплю.

Не то чтобы я мучилась бессонницей. Мы с ней просто лежим рядом, держась за руки. Как старая супружеская пара, чья страсть поседела и облысела.

Я слушаю, как громко бьются друг о дружку тучи и дом обливается дождем.

Я вижу, как заря скользкой змеей впивается в землю.

И мне кажется, что что-то такое же большое, как осень, наполняет мое сердце — это тихая свобода, это счастье — просто быть.

Я закрываю глаза и сплю сладко — как плюшевый зайчик в объятиях ребенка.

Мой сын сказал, что я завилась, как улитка. Это про мою прическу.

Я веду его в садик. Первый раз — сама. Он за неделю уже там ко всему привык и теперь по-хозяйски, выставив вперед свою маленькую ручку, демонстрировал мне игрушки, свой шкафчик, свою подружку и мальчика по имени Петя Платочкин.

Когда я была маленькая, у нас в семье был матриархат. По старшинству. Поскольку бабушка умерла совсем рано, главной, сколько я себя помню, была мама. Еще был папа. Но он даже не был вторым. Он просто был. И была я.

Раз в полгода была вторая бабушка с Волги.

В нашей семье все любили то, что любила мама. Любили искренне. Потому что очень любили маму.

Каждый день она приходила с работы — мама работала младшим научным сотрудником в исследовательском институте — и рассказывала о том, как Василий Петрович или, например, Петр Васильевич снова сделал ей комплимент. А Ольга Викторовна или, например, Ольга Федоровна снова ахнула, увидев ее новое платье.

Я, когда была маленькая, так и представляла себе мамину работу: идет она по коридору, а все вокруг млеют от ее красоты и посылают ей воздушные поцелуи.

А когда я училась в школе и летом ей надо было брать (уж не помню, где они тогда все это брали) для меня путевки в ведомственные лагеря, я помню ее счастливые глаза, когда за ужином она, вздыхая, жаловалась нам с отцом на то, что ей снова не верили, что у нее уже есть дети. И что эти дети — я то есть — уже учатся в школе.

— Все думают, что ты моя сестренка! — сообщала мне мама, окидывая меня оценивающим взглядом. — Так что ты не «мамкай», пожалуйста.

Я сама подолгу рассматривала себя в зеркало.

Говорили, что у нас с мамой одинаковые глаза: я щурила их перед тем, как засмеяться, совсем как она. Но, думаю, это из-за того, что я подолгу репетировала дома, перед зеркалом, закрывшись в ванной.

Мы все любили есть цыпленка-табака, ходить в субботу на ВДНХ, зимой кататься на лыжах, а вечерами вязать шарфы.

(Сейчас мне очень странно, как это папа не вязал — наверное, вязал, я просто не помню.)

Мы были дружной семьей, и никто никогда не ссорился. С мамой.

Начиная с четырех месяцев (мне почему-то кажется, что именно с этого возраста ребенок хотя бы слышит то, что ему говорят), мы внушали Антошке чувство уверенности в себе и всячески развивали в нем чувство собственного достоинства. Мы — это я и его папа, мой бывший муж.

Любая наша фраза, обращенная к Антону, заканчивалась словами: «Ты — лучший». (Года в четыре мой сын спросил дедушку: «А тебе кто-нибудь говорил, что ты — лучший?» Дедушка долго думал, словно припоминая, а потом рассказал Антону о том, как лихо бабушка починила его DVD-плеер.)

Поскольку мне казалось, что чем человек самостоятельнее, тем увереннeй в жизни он себя чувствует, наш ребенок в годик и 5 месяцев уже сам одевался, в два с половиной отлично плавал (и под водой тоже), в четыре бегло читал, в пять знал сложение и вычитание до ста, а в шесть полагал, что он умнее всех нас, вместе взятых.

Кроме бабушки.

Потому что до сих пор все ею восторгаются. И она с удовольствием рассказывает об этом внуку.

К моим фотографиям во всех журналах Антон относился очень спокойно. Он только спросил:

— А почему?

Я ответила, пытаясь говорить важно и многозначительно:

— Потому что я — писатель.

Он понимающе кивнул головой.

А потом однажды, увидев на обложке фотографию стаффордширского терьера, поинтересовался:

— А эта собачка тоже писатель?

Воспитательница (высокие каблуки и тоже завилась как улитка, но по сравнению со мной более крупная: було, каких подают в ресторане «Паризьен») улыбнулась мне, сказала:

— Замечательный мальчик.

Я сказала:

— Спасибо.

И зазвонил телефон.

Марина Сми.

— Ты видела «Экспресс-газету»? Вот ужас!

В «Экспресс-газете» написано, что свой первый аборт я сделала в 14 лет, что моя мама — алкоголичка. А мой папа живет с соседкой. Что мой муж меня бросил потому, что я — наркоманка и он устал с этим бороться. Что мои соседи ненавидят меня, а моим подругам детства (размытые фотографии каких-то прыщавых школьниц) за меня стыдно.

Здесь же — моя, не самая лучшая (честно говоря, хуже этой я не видела ни до, ни после этой публикации) фотография, а также фотография моих родителей. Снято где-то у них во дворе. Папа идет, нагруженный сумками, а мама с открытым ртом. Как будто кричит. Лицо перекошено.

Я даже не смогла прочитать статью до конца.

Сначала успокоилась, вытерла слезы. Завела машину.

Дочитала.

Журналистка позвонила моему представителю в издательство, а она (коротко стриженная девчушка, которая занималась моими связями с общественностью) ответила, что «не хочет копаться в моем грязном белье».

Стараясь не рыдать, звоню издателю. Ору:

— Да как она могла?! Что значит «в грязном белье»?! Она должна была сказать, что все это чушь! Какая мама — алкоголичка?! Ты вообще читал это? Я там аборт сделала в 14 лет!! Успокойся? Как мне успокоиться? Почему она не возмутилась? Почему она не прокомментировала? Да я плакала, когда читала это!

Он извинялся и говорил, что коротко стриженную девчушку уволит. И правда, уволил.

— Ты, кстати, собираешься подписывать договор на следующие книги?

— Собираюсь.

— Собирайся поскорей. Если ты хочешь, чтобы мы серьезно занимались твоим имиджем и вообще твоим брендом.

— Я и вижу, как вы занимаетесь...

Я немного успокоилась. Главное, чтобы эта газета не попала на глаза маме. Я уже слышала сирену «скорой помощи» и чувствовала запах валерьянки.

— Подписывай договор. Это в твоих интересах.

— Почему? Я же еще не написала вторую книгу.

— Потому что тебе есть что терять. А когда человеку есть что терять — он уязвим.

— Что ты имеешь в виду?

— Книги — это такой же бизнес, как и все остальные. Не хочу тебя пугать, но ведь кто-нибудь может вынудить тебя подписать договор. Книжек на пять. И не самый для тебя выгодный...

— Ох, прямо «Коза ностра»...

— Как везде.

— Я попрошу приятельницу стать моим PR-директором.

— Но будь с нами на связи.

— Okay.

У моей мамы всего одна подруга, и она сейчас в Болгарии. А кроме нее, сообщить маме об этом пасквиле некому. Господи! Пусть она никогда не прочитает этого!

Звонок. Рингтон из «Kill Bill». Откуда мой телефон берет все эти мелодии?

— Я представитель Клаудио Могелли в Москве. Мы бы хотели с вами встретиться, у нас есть для вас очень интересное предложение.

— Да? Какое? — Когда я отвечала на звонок, мое «алло» было из третьей категории.

— Совместный бизнес. Сумки, которые мы производим, — это эксклюзивные модели из крокодиловой кожи, рассчитанные на представителей элитного класса. Вам это было бы интересно?

— Вы хотите, чтобы я рекламировала их?

— Не то, чтобы рекламировали... Но вы бы их продавали своим знакомым и получали бы процент от прибыли.

— Нет, извините, наверное, нет.

— Я думаю, лучше встретиться. Через неделю сам господин Могелли будет в Москве...

— У меня высветился ваш номер. Я позвоню.

— Когда?

— Извините, у меня совсем нет времени...

— Но...

— До свидания, спасибо.

Интервью для французского журнала «Paris Match».

— Чего вам не хватает из детства?

Мы сидим в ресторане «Веранда». Я, дающая интервью на «Веранде», такой же привычный предмет интерьера, как и эти деревянные, шикарно обшарпанные столы, это дерево, изпод и сквозь, этот буфет и этот холодильник с вареной колбасой.

Улыбаюсь. Сбоку меня фотографируют.

— Ощущения начала пути.

Хочется затевать новые проекты, ударяться в какие-то авантюры.

Новые планы — новая жизнь.

— Вы пишете про богатых людей в России?

— Пожалуйста, не верьте в то, что лежит на поверхности.

Переводчик переводит.

Журналист — лет 50, красные джинсы — улыбается:

— О! Я думаю, ваша книга о том, как обесценена человеческая жизнь...

Вздыхаю.

Регина согласилась быть моим директором по рекламе. Вроде ее новый молодой человек (тьфу-тьфу-тьфу, все сначала втираются в доверие) не имеет ничего против ее подруг.

Больше не буду сама отвечать на звонки.

Да здравствует личная жизнь!

Мы лежали в маленькой комнате загородной гостиницы.

Мы смотрели в потолок, но видели сразу все четыре стены.

— Мы как спички, — сказала я, — в спичечной коробке.

— Спичка-мальчик и спичка-девочка, — сказал он.

И не надо нас доставать отсюда.

Мы молчали и не двигались.

Малейшее трение вызывало пожар.

А за окном улицы дрожали в ознобе, чихали и прятались в воротники.

В половине пятого он сказал:

— Ужасный номер. Но я, наверное, буду вспоминать его.

— Наверное? — переспросила я достаточно игриво.

— Наверняка! — Он засмеялся. Встал. И потянул меня за пятку.

Мы начали одеваться.

— У тебя кто-нибудь есть? — спросила я, когда он подошел к окну.

Спросила с улыбкой. Как будто имелся в виду хомячок или собака.

— Нет, — сказал он, глядя в окно. И повторил: — Нет.

Мы вышли на улицу.

Месяц примерз к небу.

Он отвез меня домой. Я хлопнула дверцей машины, не попрощавшись.

Он прислал мне SMS: «Самая красивая во всем спичечном мире — спичка-девочка».

Я обещала не писать ему SMS — и не буду.

Перечитала еще раз.

Мне показалось, что инициатором нашего отъезда из гостиницы был он? Или это было на самом деле? Или так получилось само собой, и мы просто одновременно стали одеваться?

Перечитала еще раз его SMS. Может, позвонить? Он сказал, что у него в 9 утра встреча.

Посмотрела пропущенные звонки — мы бросили телефоны куда-то под кровать, вместе с одеждой.

От мамы (надеюсь, это не из-за газеты), от Регины (она уже приступила к новой работе), один не определенный и опять... это уже серьезно. 755-55-55. Как же узнать, кто мне названивает?

Взяла домашнюю трубку, аккуратно, словно за мной подглядывали, набрала этот номер. Автоответчик по-английски просит набрать телефон, по которому я хочу дозвониться.

Завтра посоветуюсь с Черновым. Его служба безопасности быстро объяснит кому бы то ни было, стоит мне еще звонить или нет.

...и мне кажется, что вселенная – это я; и вселенная эта наполнена музыкой...

# 5

Непрошеной гостьей ввалилась зима.

Землю похоронили под снегом, и мы метались по нашему городу в потемках, дрожа от холода и прорезая стылый воздух автомобильными сигналами.

755-55-55 — это служба дозвона «Билайна». Чернов познакомил меня со своим жизнерадостным начальником службы безопасности. Он был похож на моего бывшего мужа — все мои проблемы казались ему мелкими и смешными. Его звали Сан Саныч.

— Если вы молоды, красивы и знамениты и у вас до сих пор нет маньяка, — весело декламировал он, — тогда мы идем к вам!

— Очень смешно, — согласилась я.

Сан Саныч посоветовал мне подсоединить автоответчик и подождать, что будет.

— Не отвечать? — уточнила я.

— А зачем себе настроение портить?

— А нельзя запросить, кто звонил с этого номера?

— Можно. Вот распечатка. — Он протянул мне длинный, как бумага для факсов, лист.

— Это за месяц?

— Это за час. Службой дозвона пользуются сотни людей. И хотя у нас есть время звонка, но разница в 2—3 минуты, которые необходимы оператору для соединения, не позволяет вычислить абонента.

— Что же делать?

— У нас длинные руки! Не волнуйся.

Мы с Региной пили кофе. В «Шатуш». За окном машины уютно заворачивались в снег.

— Значит, так... — Она обзавелась толстым еженедельником и деловым видом. — У тебя завтра в 12.00 — «Mini», будешь приглашенным редактором; в 14.00 — радио, это обязательно, мы их уже два раза динамили; в 16.00 американец какой-то прилетает, крутой, на частном самолете, самая рейтинговая передача в Америке...

— Телевидение? — Я кладу мороженое в кофе.

— Ага. И все хотят у тебя дома.

— А что, у меня красиво.

— Соглашаемся? — Она оборачивается к официантке. — Девушка, я воду уже час жду!

— Ну, можно.

— Потом, послезавтра у тебя все с четырех: съемка для рекламы продуктового магазина, вот этого, как его...

— Я поняла.

— Потом для журнала «Menu», у них там какой-то проект, ты будешь космонавтом, а кстати, в пятницу — проект «Реинкарнация», в «Караване историй». Тебе надо выбрать картину, и они будут стилизовать под нее твою фотографию.

— «Княжна Тараканова».

— Это где у нее по платью крысы бегают?
— На компьютере крыс нарисуют?
— Не знаю.
— Скажи, в другой не будем.
— Okay. Еще газета «Изюминка».
— Не знаю такую...
— Зря. Они говорят, у них тираж несколько миллионов.
— У газеты «Жизнь» тоже несколько миллионов.
— Отказываемся?
— Ага.
— Слушай, а что там у Катьки со стриптизером?
— Говорит, что любовь. Он хочет уйти с работы.
— А деньги?
— Не знаю. Катька его там куда-то...

Нам принесли шоколадные трюфели, местного производства. Мой личный рекорд — 11 штук.

— Вот интересно, а они там как в клубе... сексом занимаются? — задумчиво произносит Регина.

— Катин стриптизер рассказывал, что девушки могут их купить и даже увести с собой. За компанию. А заниматься сексом или нет — их личное, добровольное дело. Вообще, его интересно послушать, — улыбнулась я.

— Представляю.

Вошел мужчина, снял кепку, поздоровался.

Я кивнула.

— Кто это? — Регинины пальцы были вымазаны в трюфеле, она знаками попросила официантку принести еще салфеток.

— Не знаю, — сказала я громко, так, чтобы вошедший мужчина нас услышал. Зачем людей обижать? — Они там спорят на деньги, например, видят девицу совсем пьяную...

— А туда другие и не ездят!

— И спорят, кто ее в бассейн затащит!

— Кошмар. В одежде?

— Кто как! И еще он говорит, что если девка старая и страшная, а хочет приват с кем-то, кто в порядке, то менеджер ей откажет.

— Вот позор, представляешь?

— Тебе это пока не грозит.

— Но это пока!

— Давай к ней на ужин напросимся?

Мы позвонили Кате и сообщили ей, что в среду, в 10 вечера приедем к ней на ужин.

— У меня в среду массаж, — вяло протестовала подруга.

— Ничего страшного. Успеешь.

Регинин телефон.

— «Русский Newsweek» просит тебя прокомментировать ситуацию во Франции.

И через минуту:

— Питер приглашает, гостиницу и самолет оплачивают.

— Бизнес-класс?

— Конечно.

— Не полечу. Может, попозже.

— А на презентацию в «Mercury» пойдешь? У меня уже столько твоих пригласительных!

Мы пришли на премьеру в кино.

Он не любит фотографироваться. И редко кто настраивает на него свой фотоаппарат.

Меня обступают фотографы, я рада, что не поленилась уложить волосы.

Он где-то за их спинами: разглядывает афишу. И я тоже не хочу, чтобы нас фотографировали вместе, потому что я — свободна!

Я улыбаюсь в камеры, и так повернулась, и так, и как будто ухожу, и машу рукой, и шлю поцелуи.

— Сюда, сюда! — кричат фотографы по очереди, им важно, чтобы я заглянула именно в их объектив, и я кокетничаю с фотоаппаратами и надеюсь, что, может быть, в этот раз снимки получатся красивыми.

В зале темно. Я дышу ему в ухо. Я называю его Пух.

На экране что-то происходит, но то, что происходит между нами — гораздо интереснее. Он одним пальцем приподнимает мне юбку, я, как учительница указкой, шлепаю его по руке флаером.

С тех пор как мы были спичками, мы больше ни разу не были вместе.

Вибрирует телефон, переключенный на бесшумный режим.

Сердце идет ко дну, как подбитый корабль. *Тот самый* номер.

Сработал автоответчик.

Не обращаю внимание на руку, которая замирает у меня на бедре.

Слушаю. Надеюсь, что удары сердца не заглушат того, что записано.

Смутно надеюсь, что сообщение не оставлено.

Оставлено.

Сначала мне показалось, что это Антошка.

Нет, просто детский голос.

Ребенок. Мальчик.

Сообщил мне о том, что я скоро наемся грибов. И сдохну. И чтобы я не расслаблялась. И что я — гадина. Скользкая, ползучая гадина.

На экране главный герой стрелял в своих врагов, и они падали, десяток за минуту, и были похожи на пустые жестяные банки в тире в Сокольниках.

Это было самое крупное издательство в Москве.

Им управляла женщина. Она сидела в просторном кабинете, больше похожем на будуар. В хрустальной вазе, рядом с хрустальным пресс-папье, аппетитно блестела черешня. В тон к черешне на Вере («Давайте сразу на «ты». Я — Вера») была надета блузка. И — как маленькие черешенки — в ее ушах были сережки.

Вера заикалась.

— Вы видели наш ти-ти-типовой договор?

— Да. Я отдала его юристу.

— П-п-правильно.

Она сказала, что договор, который я подписала по первой книге, — это просто позор!

— Г-г-грабеж средь бела д-дня! — Это она про моего лысого современного издателя. — М-м-мы предлагаем тебе договор с-с-сразу н-н-на пять книг.

— Я поняла.

— Мы п-п-платим аванс.

Я сделала крайне заинтересованный вид.

— М-м-м-миллион долларов.

Ненавижу, когда заикаются. Ничего не понятно.

— М-м-миллион наличными!

Когда говорят «ее глаза заблестели» — имеют в виду меня.

— Миллион долларов? — спросила я. По-детски так. Как будто мы играли в «Монополию».

Вера кивнула.

— М-миллион.

Я смогу выкупить свой дом, который мой бывший, по мудрому совету своей матери, оформил в ипотеку, на свое имя, на пятнадцать лет.

— Неплохо, — похвалила я Веру. Хотя выглядело это так, словно я похвалила черешню, аккуратно положив косточку в пепельницу.

— И м-м-м...

— Миллион, я поняла. — После того как повторишь это слово несколько раз, произносишь его уже запросто, как, например, макароны.

— М-м-мы дадим вам охрану. К-к-круглосуточно.

— Охрану? — Я внимательно посмотрела на Веру. Наверное, надо быть психологом, чтобы сидеть в кабинете с черешней и раздавать миллионы всем подряд. — Охрана мне не помешает.

Правило № 2. Если у вас завелся маньяк, вы никому не должны рассказывать о нем. Никому и ни при каких обстоятельствах. Включая подружек, женихов и издателей.

Сан Саныч сказал, что детей часто используют, например, в сицилийской мафии. Как способ угроз.

Потому что голос ребенка не идентифицируется.

Еще он сказал:

— Ты почему-то дорога моему шефу. И он дал мне карт-бланш на все мероприятия.

— На какие мероприятия?

В кабинете Сан Саныча стоял огромный шкаф с его коллекцией.

Он коллекционировал жуков. Не в смысле жучков (что было бы понятно при его работе), а именно жуков — стеклянных, деревянных, пластмассовых, с эмалью. С дарственными надписями. От друзей и сотрудников.

— Какие мероприятия?

— Камеры по периметру дома, вооруженная охрана 24 часа.

— Спасибо.

— А если он будет звонить?

— Отвечай. Только не слушай. Просто снимай трубку и клади ее, пусть разговаривает... чем дольше, тем лучше.

— Не слушать?

— Ну, конечно. Нервные клетки не восстанавливаются. И не волнуйся. Я этих маньяков уже столько поймал!..

— Сколько?

— Достаточно. Одного, кстати, ты наверняка знаешь. Его вся Москва знает. О-о-очень известный человек. Как выяснилось, шизик.

— Да ладно!

— Складно! Охрана на твой счет проинструктирована.

Зима — это заговор против солнца.

На этот раз мой телефон зазвонил, если не ошибаюсь, симфонией Баха.

Алик.

— Я плыву на лодке по Усамасинте!

— Куда?

— В Мексику, конечно! Тут полно крокодилов! И пограничники с двух сторон! Смотрят!

— На тебя?

— На крокодилов!

— Это не опасно?

— Смотреть на крокодилов? Да что с тобой!

— Да нет — плыть по Уса-муса...

— Усамасинте! Опасно. Мне все время кажется, что крокодил запрыгнет в лодку!

— Они не умеют прыгать.

— Ты уверена?

— Точно. — Я не была уверена.

— Позвоню попозже. Ты никуда не летишь?

— Нет.

Вышла огромная статья того журналиста, который был похож на тыкву в Хеллоуин. На первой полосе — мой портрет. Статья называется «Мы целовались с писательницей в кафе».

Урод. Я скомкала газету.

Кто сказал, что журналисты — это вши на теле общества?

Интервью на канале «Культура».

Моя любимая картина?

Вспоминаю Бакста. «Элизиум».

А нравится она мне тем, что похожа на мои сны.

Элизиум — это райская страна грез, сновидений. Художник писал свои сны?

Да, я вообще люблю серебряный век. Головина, Яковлева, Серебрякову.

Да, и поэтов серебряного века тоже люблю. Почитать? Ну, почему же не помню...

*— Им ночью те же страны снились,*
*Их тайно мучил тот же смех...*

Почему я пишу про богатых?

Какой интересный вопрос, а главное — оригинальный. А почему вы читаете про богатых?

Как надоели все эти передачи, с их одинаковыми вопросами и неумелыми гримершами.

Слава — это как жара в июне: ждешь ее, мечтаешь о ней, а как нагрянет — только и ищешь тенек, чтобы укрыться. Хотя бы ненадолго.

Часы на телефоне показывали 14.14 – верный признак того, что мы сегодня увидимся. Я уже давно заметила. Или когда, например, 22.22, или даже было бы 14.41.

Я на телевидении долго красилась для участия в промо-ролике.

Я подписала контракт на работу ведущей в передаче «Что хуже?».

Контракт я подписала, совершенно пренебрегая правилом № 1: ничего не подписывать без юриста.

Но мы с моим Пухом собирались в театр, у меня было всего 15 минут, мне привезли договор, я вроде бы его посмотрела... Не могла же поехать к юристу, когда *он* уже ждет меня...

И подписала. В машине.

Первый раз в жизни меня красиво накрасили. Я смотрела в зеркало и любовалась собой.

— Наташенька, я теперь без вас — ни на одну съемку не поеду.

— Согласна, — улыбнулась она и провела по моему носу кисточкой так, словно мое лицо было мольбертом. А она Серебряковой.

...Я узнала этого фотографа.

Он сделал замечательные фото для журнала «Glamour». Я была в чем-то золотом, а мои глаза прикрывали золотые ресницы.

— Мне нужно движение! Крути головой!

Он сделал упражнение, как мой сын в детском садике. Я повторила.

— Отлично! Еще! Еще! Ну ладно, ответь... — Это у меня зазвонил телефон.

Он.

— Ты где?

— На съемке.

Фотограф терпеливо ждал.

— Хочу пригласить тебя на обед.

— Но я пока здесь.

— Но ты можешь побыстрее?

— Я постараюсь.

Фотограф вышел покурить.

— Я уже жду тебя. Во «Fresco».

— Ты уже там?

— Ну, конечно. Давай скорей!

— Так! Куда это все делись? — кричу я. — Работаем!

Фотограф вернулся, недовольно туша почти целую сигарету.

— У меня всего десять минут. В 16.30 я уезжаю. Ты мне веришь?

— Верю.

— Что делать?

— Живи в кадре.

Позирую. Улыбаюсь. И так, и этак, и морщу нос.

16.30.

— Все. Мне кажется, получилось. Я поехала.

Фотограф смотрит мне вслед.

— Я еще никогда не снимал так быстро. — У него на лбу капельки пота.

— Извини меня.

Телефон.

Он.

— Я еду! Еду уже!

Передача называется «Что хуже?».

Две ведущие: я и Гуля.

Целый час мы обсуждаем, что хуже: еда в Аэрофлоте или в Трансаэро? Когда дома течет крыша или сломалось отопление? Когда любимый изменил — или не изменил, но бросил? Быть алкоголиком — или наркоманом? Никогда не иметь детей — или родить ребенка и тут же потерять?

К нам приходят разные люди, рассказывают свои истории.

А мы с Гулей на протяжении всей передачи друг друга спрашиваем:

— Что хуже: твоя юбка или моя?

— Твоя!

Или:

— Что хуже? — спрашиваю я Гулю. — Когда ты молчишь или когда говоришь?

Она отвечает:

— Когда молчу — хуже.

Меня берут крупным планом, я заявляю прямо в камеру:

— А мне кажется — когда говоришь. Давайте спросим у зала! Вы как думаете?

Я подхожу к симпатичному молодому человеку и изо всех сил кокетничаю с ним. Конечно, он со мной соглашается:

— Когда она говорит — хуже.

Это у нас экспромты.

Перед эфиром мы смотрим друг на друга и придумываем, за что бы зацепиться.

Причем, мне кажется, Гуля начинает придумывать еще раньше.

С вечера. И наверное, плохо спит. Спрашиваю:

— Что хуже: готовиться к передаче и плохо выглядеть или не готовиться, но выглядеть хорошо?

Чудесная передача. В формате канала.

Едем с Антошкой из «Европейского».

Смотрели мультфильм, играли в автоматы. Я люблю мультфильмы. Я все время представляю вместо героев моих знакомых.

Смешно получается.

— Тебе надо туда перестроиться, — говорит мой сын, указывая рукой в левый ряд. Он всегда все знает лучше всех.

У меня на телефоне Регина.

— У них рубрика «Завтрак со звездой»...

— Ну, я же тебе говорила, — перебиваю я, — что к 11 утра я в Москву не поеду.

— Да, и поэтому они согласны придумать новую рубрику. Есть идеи?

— Не знаю. Может, «Обед за городом»?

— Ты неправильно едешь, — тихо, но в самое ухо говорит Антон.

— Спрошу. Еще тут хотят твой рассказ про какую-нибудь коллекцию. У тебя есть фетиш? У каждой приличной звезды должен быть свой фетиш.

— Смотри, тебя уже три машины обогнали: «Мерседес», «Лада» новая и джип, как у папы. — Ребенок висит где-то у меня над плечом, как будто я одноглазый пират, а он — попугай.

— Ну, что фетиш?

— Я, конечно, могу рассказать про мои ершики.

— Какие ершики?

— Для унитазов.

— Когда я езжу на своей машине, я держу руль двумя руками, — шепчет Антон в ухо.

— Для унитазов?

— Да, у меня много.

— Как-то не гламурненько.

— Ага. Скажи, что я в день покупаю по две пары обуви.

— Вот это им понравится!

— Посигналь грузовику — он должен уступить тебе дорогу! — кричит мой сын.

Я понимаю, что собственный ребенок не должен раздражать. Я вынуждена напомнить себе: «Это всего лишь маленький мальчик».

— Антон, а ты не думаешь, что я тебя старше, что меня уважает масса людей, что, в конце концов, я все знаю лучше тебя! А?

— Да, — согласился мой воспитанный ребенок, и мне сразу же стало стыдно.

— Как ты в хоккей поиграл? — начинаю заигрывать, чтобы избавиться от чувства вины.

— Хорошо. Я забил два гола.

— Молодец, малыш! Ты — лучший! Вот я совсем не умею играть в хоккей.

— Я — мужчина.

— Да, ты — мужчина.

Сан Саныч в моем телефоне высвечивается как «охрана».

— Когда камеры будем устанавливать?

— Давай попозже, а то у меня мама. Она уедет, и сразу.

— А людей ставить?

— Ну, тогда же и людей.

Бакст, по-моему, уехал в Париж. Или нет?

Хочется все узнать об этом художнике. Мы видим с ним одинаковые сны. Бродим по ним, как по незапертому дому.

Звонит Алик.

— В Яшчилане продается твоя книга! На английском языке! Я сказал, что ты моя подруга, и продавец захотел сфотографироваться со мной! Я пошлю тебе фотку по MMS! Нет! Сфотографируй себя прямо сейчас и пошли мне! Я подарю ему, он никогда не видел белых женщин!

Я люблю Алика. Как сорок тысяч братьев. Я протянула вперед руку с телефоном, старательно улыбнулась.

Алик перезвонил через минуту.

— Ты поправилась, — сказал он.

— Всего на два килограмма.

— Он решил назвать свой магазинчик моим именем.

Я не стала спрашивать, почему, собственно, не моим?

В детском саду мой сын влюбился.

Они решили пожениться сразу, как только вырастут.

— Люся будет жить здесь, с тобой, — делился своими планами Антон, — и наши дети тоже здесь. А я буду жить в Москве.

— Как это в Москве? — удивляюсь я.

— Как папа. В квартире. И я буду к вам все время приезжать.

— Антон, ты что же, хочешь сбагрить мне свою Люсю, своих детей, а сам?

— Я буду работать.

— Привози их мне, — засмеялась великодушная бабуля. — Я как раз уже стану старенькая, мне будет скучно, так что я и Люсе твоей, и детям твоим буду рада.

— Ну, хорошо, — довольно быстро согласился мой сын, — тогда они будут жить у тебя. А я буду приезжать.

— А ко мне? — возмутилась я.

— И к тебе, — кивнул мой сын.

— Послушай, давай я тебе объясню, что такое семейная жизнь...

Позвонила Регина.

— Я думаю, ты еще успеешь, — сказала моя мама и увела сына в игровую.

— Слушай, у них там репортажная съемка на весь день: как ты идешь в тренажерный зал, потом завтракаешь, пишешь, например, ну, и так далее. Я сказала, что весь день — это невозможно.

— Конечно, невозможно, у меня же масса других встреч!

— Ну, они тогда будут просить хотя бы просто интервью... Все-таки глянцевое издание...

— Ну, посмотри, что у меня по расписанию...

— В следующий понедельник, в 5 часов дня.

— Okay. Предупреди визажистку.

— Записываю: «17.00. «Marie Claire». Позвонить Наташе».

Он привез меня домой.

Мы стоим у калитки.

Снежинки попадают за шиворот и вредно там тают.

Мы целуемся.

— Я тебя люблю, — говорит он.

Снежинки снуют между нами, я молчу.

— Я так давно не говорил этих слов. Мне сейчас даже кажется — никогда.

Я улыбаюсь, он распахивает передо мной дверь.

Почему он не зовет меня в комнату, похожую на спичечный коробок?

Он наклоняется ко мне близко-близко, шепчет мне в ухо:

— Я люблю тебя.

По инерции — великая сила привычки! — я скромно улыбаюсь, опустив глаза. Дотрагиваюсь до его лица. Мне всегда казалось, что в этом жесте есть что-то интимное и обнадеживающее.

Мое сердце похоже на венок из ромашек. И какой-то добрый, но разбитной ангел гадает на нем.

Рано утром, еще до завтрака, болтая ножками, он отрывает лепесток за лепестком, и иногда выпадает «любит», а иногда «нет».

Когда выпадает «нет», я теряю друзей, я тоскую, я не знаю, куда мне идти, и даже иногда не знаю — зачем?

Зато когда выпадает «любит»!..

Тогда я чувствую запах летнего ветра, и мне кажется, что вселенная — это я; и вселенная эта наполнена музыкой, такой же пронзительной, как осеннее небо, и каждый инструмент звучит так остро и так тонко — а дирижирую я сама.

... — Твой юрист получил договор? — интересуется мой издатель по телефону. В трубке слышны посторонние звуки, и я представляю себе, как в эту минуту — 11 утра — он знаками провожает очередную девушку, давая ей понять, что начался рабочий день, ее время вышло одновременно с солнцем и у него очень (многозначительное лицо, нос сморщен), очень важный договор.

— Получил.

Все самое важное происходит в постели: любовь, сны и интересные книжки.

Я сладко потянулась. Если каждый день по чуть-чуть тянуться, то начнешь доставать до краев кровати. Наверное. Надо сообщить это журналистам.

— Когда подписываем?

— А миллион дашь мне?

Он нервно хихикает.

Наверное, девушка еще не ушла и щекочет его за пятку.

— Ну, какой миллион?

— Долларов. Пока что. Хотя, чтобы перебить предложение, ты должен дать миллион двести.

Опять хихикает. И тяжело дышит.

Нет, девушки не способны довести издателя до такого состояния. Только деньги.

— Думай, — говорю я.

— Это ты думай. У нас-то все по-честному.

На открытии магазина с техникой торжественно перерезаю ленточку.

Жду *его* телефонного звонка.

— Спасибо, мы вам очень благодарны, что вы откликнулись на наше предложение. Куда вам прислать телевизор?

— Телевизор? — рассеянно переспрашиваю я. — Свяжитесь с моим директором.

Улыбаюсь в объективы.

В руке шевелится телефон, поставленный на режим вибрации.

— Извините, извините... — Щелкают вспышки, потом эту фотографию можно будет использовать в рекламе «Nokia».

Это, конечно, Регина.

— Помнишь, я тебе говорила про съемку с заснеженными березками?

— Где я на снегу в русском сарафане? Не хочу.

— А что, мне кажется, прикольно.

— Не хочу. Или обложка. Если хотят на обложку — согласна, а так — нет.

— Слушай, неудобно — они уже два месяца ждут.

— Не хочу!

— Ты выбрала лучшие духи для «Beauty»?

— Нет, сейчас перезвоню.

В «Шатуш» спрашиваю журналиста:

— Вы не против, если я буду отвечать на ваши вопросы и одновременно тестировать ароматы?

— Нет, нет, что вы.

Журнал «Beauty» прислал флаконов 50 духов, чтобы я выбрала те, которые мне больше нравятся.

Он позвонил.

— Привет.

Я открыла коробку «Coromandel» от Chanel.

— Что делаешь в выходные?

— Не знаю. Так, всякие дела...

— А если я приглашу тебя... куда-нибудь... в дом отдыха, например?

— В каком смысле: в дом отдыха?

На самом деле я уже согласилась.

— В прямом. Отдыхать. Куда-нибудь. Может, в Нахабино?

— Ну, ладно.

— Я закажу самый большой номер!

Я брызнула духами от Ralf Lauren почти что в лицо журналисту. Он повел носом.

— А мне казалось, что вам нравятся маленькие. — Мы иногда нарочно переходили на «вы».

— Вопрос не «где», вопрос «с кем»?

Ароматом «Delices de Cartier» я подушила официантку. Она вежливо улыбнулась.

— Вам просили передать, — сказала официантка, кивнув куда-то в середину зала, где за столиком сидели двое мужчин. И показала бутылку вина. — С пожеланиями доброго дня.

Я рассмотрела этикетку: «Clos Saint Hune» от Trimbach.

— Спасибо. — Я кивнула.

И спросила в трубку:

— А с кем тебе нравятся «маленькие»?

— В основном с тобой.

— Что?

— Ну, а что за вопросы? Конечно, с тобой.

— Именно поэтому в Нахабино ты закажешь самый большой?

— Я просто уже заказал... за город хотелось... а поскольку я не был уверен, что ты согласишься...

— И правильно! Я девушка непредсказуемая.

— Это значит, ты согласна?

— У меня, между прочим, интервью. Я тебя целую.

Nina Ricci на рукав, Lulu Guinness — на диванную подушку.

Посмотрела на часы: 15.15.

— Давайте побыстрей, а то у меня всего 20 минут осталось.

— Да, да, просто вы по телефону разговаривали...

— Пересядем за другой столик? А то у меня здесь уже все запахи смешались.

— Конечно, конечно.

Michael Kors, Mugler...

— Скажите, когда первый раз вы почувствовали себя особенной? Ну, было какое-то такое... озарение? Может быть, в детстве?

— В детстве?

Escada под столом.

— Правду сказать, я тоже пишу.

Kenzo на салфетку. Покачала салфеткой перед своим лицом.

— Надо же, как интересно!

Звоню Регине.

— Все, выбрала — «Coromandel». Он взаимодействует с ароматом кожи. И поэтому на всех чуть-чуть разный.

— У тебя что там, целая исследовательская группа?

— Да. Я и журналист. Вечером продиктую тебе описание аромата. Сейчас у меня тут слишком всего много, — я помахала рукой, как будто мух отгоняла.

Потом посмотрела на журналиста:

— Ну, все. Наше время истекло. Было очень приятно с вами поболтать.

— Я, честно говоря, думал...

— Что поделаешь — график... А текст пришлите Регине на утверждение.

Где-то я прочитала, что жизнь — субстанция глуповатая, но отзывчивая. Согласна.

И если ты сумеешь себя убедить в том, что то, что тебе хочется, действительно необходимо, — ты это непременно получишь.

Надо это записать.

Вообще, надо завести маленькую книжку и записывать за собой. А потом опубликовать.

Или вот, например, Бегбедер приезжал в Москву с диктофоном. И ничего, не стеснялся увековечивать свои мысли и в ресторанах, и в ночных клубах.

Мы вместе ужинали на «Веранде», когда он приезжал с неофициальным визитом и двумя своими неофициальными женами.

Бегбедер как Бегбедер.

Я знаю, как люди тонут. Им не хватает воздуха, и они задыхаются. Они даже не очень понимают, что тонут. Они просто хотят дышать — и не могут.

# 6

Когда я стану тоскующим черепом, я, наверное, полюблю зиму.

Только когда, скинув, как в дождь босоножки, скорость и выключив музыку, заезжаешь, как будто на цыпочках, в свой двор, и снег хрустит под колесами как хорошо прожаренная сушка, а полярная звезда вздрагивает от неожиданности, когда поднимаешь на нее глаза; а твой дом как волшебный замок, и расположен он, кстати, в самом престижном месте этой сказочной страны; и подъехала ты к нему не на чем-нибудь, а на шикарном (лет двадцать бы назад тоже подумала — сказочном) «БМВ» — думаешь: как же здорово все сложилось!

И гордишься и собой, и вселенной.

Даже подбородок непроизвольно задирается.

Телефон исполнил «Малинки» Жанны Фриске.

— Моя дорогая! — Это Регина. — Я очень коротко, а то мой стал какой-то нервный. Он говорит, что я постоянно разговариваю по телефону, а что я могу сделать, если они звонят круглосуточно!

— И что, он ругается?

Хотелось подольше стоять на улице.

— Ругается! Ужас! В общем, у тебя съемка не в 12, а в 11, они очень просили!

— Но в 11 я не поеду! Это очень рано...

— Дорогая моя, они очень просили, к тому же это самый лучший глянцевый журнал...

— Я постараюсь, но не обещаю...

Я сбила рукой снег с маленькой елочки около моей калитки (на Новый год мы ее украшаем золотыми шарами); открыла почтовый ящик.

— Что у меня за конверт? — произнесла вслух.

— Может, пригласилка куда-нибудь? Все, я побежала...

— Так ведь пригласилки все тебе приходят?

— Ну, да. Тогда не знаю. Все, я тебя целую, меня любимый зовет! — Регина повесила трубку.

Я люблю свой дом.

Ночью. Когда он освещается только уличными фонарями через стеклянные стены.

Фонари покачиваются на ветру, и по дому бродят замысловатые тени.

Письмо — листочек из принтера.

Я не выронила его из рук, как в кино. Мои пальцы впились в бумагу и стали еще белее ее.

Мое сердце ухнуло и забило крыльями, чтобы не упасть вниз.

Я от страха расплакалась.

*Сучка!*

*Я ненавижу тебя!*

*За тобой ухаживают, как за нежным фруктом.*

*А ты должна валяться на грядке забытой картофелиной.*

*Я не дождусь, когда ты сгниешь сама!*

*Орошу тебя ядом!*

*Садовник*

Телефон Сан Саныча не отвечал.

Я перечитала письмо еще раз, еще десять раз.

Еще десять раз набрала номер Сан Саныча.

Надо успокоиться. Это просто сумасшедший.

Идиот какой-то.

Но он знает мой адрес! Может, даже, он здесь был сам?!

Нет, территория поселка охраняется.

Он послал письмо по почте.

Звоню Чернову.

— Поздно, конечно, я понимаю. Вы не спите?.. Просто я письмо получила, да, с угрозами, а Сан Саныч не отвечает... нет, я в порядке, нет, нет, не надо приходить... спасибо.

Машина с двумя омоновцами будет стоять всю ночь перед моим домом.

Перезвонил Сан Саныч.

— Завтра с утра, с письмом, ко мне.

— Я не могу с утра, у меня съемка...

— Ничего, после съемки. И в 8 начинаем устанавливать систему наблюдения в твоем доме. И по периметру. Сама уж придумывай, что скажешь маме...

— Ладно. Спасибо.

— И не бойся. Какой-нибудь шизик. Обычно у них до дела не доходит, а охрана — так, на всякий случай, и чтобы тебе спокойно было.

— Да? Думаешь, не опасно?

— Нет, говорю тебе. Псих с поздним осенне-зимним обострением.

— Ладно.

Как легко веришь в то, что тебя устраивает. Я довольно неплохо спала.

Даже не опоздала на съемку. Видимо, потому, что все-таки знала, что мне нужно к Сан Санычу.

Регина не вызвала мою визажистку Наташу.

Этот понятия не имел, что такое макияж.

Я ненавижу платья в горошек. У них было два на выбор: черное в белый и красное в зеленый.

Туфли были 40 размера. У меня 37.

Парикмахер, или, как они говорят, стилист, все время разговаривал по телефону. Про свою собачку. Лолу.

— Я вам не мешаю, — поинтересовалась я без тени улыбки.

— Вам надо вот так лечь, — сказал фотограф через переводчика.

— Что? Лечь? — возмутилась я.

Меня зачем-то уложили на пол. Очень неудобно.

— Я не буду лежа! — заявила я.

— Это будет очень красиво, — перевел переводчик.

Меня предупредила Регина, что этот фотограф — европейская звезда. Но они там тоже, наверное, все подряд себя звездами считают.

— Но вы видите, что это совершенно не мой образ — рюшечки, горошек, томный взгляд на грязном полу! — поинтересовалась я. Недовольно.

— Он не грязный, — сказал переводчик от себя.

— Если бы он был грязный, в этом хоть какой-то креатив был бы!

Я замолчала.

Фотограф сделал несколько снимков, они немного помудрили со светом.

— Покажите контрольки! — потребовала я.

— Мы снимаем без контролек, — перевел переводчик.

— Вы, вообще, профессионалы? — задала я риторический вопрос. Стоя. Потому что лежать меня вряд ли уже можно было заставить.

— Профессионалы. — Сначала я услышала это слово по-английски. «Professional».

— Так почему вы без контролек снимаете? А?

— Я снимаю без контролек. — (Переводчик сказал «он»).

— Да? То есть все снимают с контрольками, а вы нет? — Я уже практически сняла платье в зеленый горошек.

— Yes. — Переводчик промолчал.

— И Лашапель, и Селигер, и Кальцин снимают с контрольками, а вы нет? — распылялась я. Надо же было так ужасно накрасить мне глаза!

— I'*m* Calcin.

— Что?! — Я наконец-то расстегнула на платье задний крючок.

— Он — Лайон, — сказал переводчик.

— Ладно, — сразу кивнула я. — Куда ложиться?

Он не звонил, а мне так хотелось пожаловаться — рассказать про письмо.

Я набрала сама.

Он не ответил.

Еще никому не удавалось так запросто испортить мне настроение!

Я разжала ладонь, и телефон со стуком упал на плиточный пол подъезда Сан Саныча.

Я высоко подняла ногу и ударила по телефону каблуком.

Есть такая примета на свадьбе: невеста должна наступить на блюдце, и сколько получится осколков — столько будет у молодых детей.

У нас с Александром не будет.

Я промахнулась

И сломала каблук.

Секретарша открыла дверь в кабинет Сан Саныча.

На стене появился новый жук — картина, выполненная в технике примитивного искусства.

Представила себе Сан Саныча на пленэре.

Сан Саныч оказался не так прост, как это может кому-то показаться.

Он протянул мне клей «Момент».

— Здрасьте, — сказала я.

— Добрый день. Я, кстати, договорился с психологом — чтобы письмо твое посмотрели. Но, если хочешь, он и тебя посмотреть может.

Сан Саныч кинул взгляд на мой сапог без каблука, а потом — на монитор у себя на столе.

На экране плитка на полу в подъезде казалась перламутровой. Хотя на самом деле таковой не была.

Я тоже считаю, что Мэрилин Монро ошибалась. Лучшие друзья девушек, безусловно, — психиатры. Но...

— Я сама себя привыкла баюкать... — улыбнулась я.

— Вот и славненько.

Он рассматривал письмо и клеил мне каблук.

— Посмотри на эти номера, нет знакомых?

Он передал мне огромный список телефонных номеров. На нескольких страницах.

— Нет, вроде нет.

— Смотри внимательно. Обведи те, которые тебе кажутся знакомыми.

Это были распечатки из «Билайна». Номера, соединение с которыми происходило в то же время, когда мне звонил мой маньяк.

— Садовник, значит, — вздохнул Сан Саныч.

— Это плохо? — осторожно поинтересовалась я.

— Нет, плохо вот что: расчленитель, раз он... Ну, ладно, ладно, шучу.

— Обхохочешься.

— Дай-ка мне свой телефончик, я твою записную книжку себе скачаю.

— Зачем?

— А у тебя там звезд, наверное, полным-полно, я им буду названивать и кошмарить их, а они тебе пожалуются, и тебе легче станет.

— Ну, правда?

— А правда: никому об этом Садовнике не рассказывай. Поняла: никому? Или уже успела?

— Нет.

— Точно? Что у нас на личном фронте?

— Ну, так... у меня сейчас и времени на личную жизнь нет...

— А роман есть?

Я рассказала. В двух словах.

— Помню я его. Их всех вышибли с канала, но он, кстати, нормальный мужик. Достойно себя повел.

— Да? — Мне было приятно. Как будто это меня похвалили.

— Но он силы свои переоценил. Звездняк. Думал, не посмеют его выкинуть. Но у нас и не таких выкидывают! Лояльными надо быть к правительству! — Сан Саныч поднял вверх каблук, как будто указательный палец.— И законопослушными!

— Ага.

— А чего он сейчас делает?

— Не знаю. Ничего.

— Творческие — они все с этим... — Он покрутил у виска.

— Спасибо, — якобы обиделась я.

— Может, он и есть Садовник?

— Да ладно! — Я рассмеялась.

— Ну, тогда про остальных рассказывай. — Он взял ручку. Открыл толстую, на пружинках тетрадку.

— Женихов?

— Всех. И подружек тоже. Всех-всех-всех.

Сан Саныч мне потом сам позвонил, вечером.

— Слушай, а кто это у тебя в записной книжке — «Уродам не отвечаю»?

— Ну, я же тебе рассказывала... — Я успела сделать эту запись в лифте. Интересно, в лифте у Сан Саныча тоже камеры стоят?

— А, телезвезда... Я так и думал.

— Что это у нас тут происходит? — поинтересовалась моя мама.

— Камеры устанавливают. У одной охранной компании акция, рекламная. А я буду их лицом. И в летней кухне охранники будут жить. Надо им туда обогреватель отнести.

— Ужас какой! Зачем тебе это?

— Пусть будет.

— Бесплатно?

— Ну, конечно! Папа приехал?

Как-то очень по-домашнему зазвонил телефон. «Уродам не отвечаю».

Ответила. Даже второго звонка не дождалась.

— Алло.

— Привет.

— Привет.

— Я тебе звонила.

— Да? Я не слышал, наверное. Что делаешь? Ты вообще где? Я соскучился! И хочу тебя видеть!

— Я?.. Дома.

— А... — разочарованно. — Может, я заеду? Ты меня в гости ни разу не приглашала.

«Ты меня тоже. Может, у тебя жена и семеро детей? Или кружевная салфеточка на телевизоре?» — подумала я. А вслух произнесла:

— У меня мама с папой.

— А «Причал»? Или «Веранда»?

Я молчала.

Из гостиной моя мама звала всех на ужин.

— Если я уйду, будет скандал.

— Почему?

— Ну, они в гости приехали, а меня и так дома не бывает.

— Да-да, тогда, конечно. Пообщайся с родителями. Твою маму как зовут?

— Елена Владимировна.

— А папу?

— Сергей Петрович.

— Так ты у нас Сергеевна?

— Ага.

— Ладно, Сергеевна, не буду тебя задерживать. Но знай: я по тебе соскучился. А ты?

Снова молчу.

Теперь мама звала уже только меня.

— Ладно, можешь не отвечать.

В столовой мама красиво накрыла на стол. Хотя день рождения у папы — только завтра.

— Сначала подарки! — весело объявил мой родитель. В нашей семье всегда так: если появляется какой-то повод, все сразу дарят друг дружке подарки.

Даже если этот повод — твой собственный день рождения.

— Тебе от дедушки — самолет! — Антон получил огромную коробку «Лего».

— Бабуля, давай вместе собирать! — просит Антон. — Я без тебя не справлюсь!

— Справишься! — говорю я. В воспитательных целях.

— Давай! — соглашается бабуля.

Зато когда у меня мама в гостях, Ира не готовит. И не убирает, и не стирает. Только моет полы и поливает цветы. Под маминым руководством.

— И я вам помогу! — улыбаюсь я. Старательно.

У нас на ужин — кролик, тушенный в сметане. С капустой.

У Антона — две вареные сосиски. С макаронами. «Я ем только макароны. Иногда — сосиски».

На 2 кг я поправилась, это если вечером взвешиваться.

Маме папа торжественно вручает подарочное издание «Lost» — ее любимый сериал, а мне — очень милый салатовый комплект из шапки и варежек.

Мягкие и пушистые.

Подозреваю, папа все-таки жалеет о том, что так и не научился вязать.

— Мы тебя еще не поздравляем! — галдим мы все одновременно. — У тебя только завтра!

— А почему это у кого-то два подарка, а у нас с Антоном по одному? — ребячливо обижается мама и поворачивается к папе.

Я помню из детства эту ее манеру: «А почему это никто не говорит, как я шикарно покрасилась?», «А почему это вы не хвалите мои блины?»

Большой костяной ложкой мама раскладывает по тарелкам кролика.

— Дедуля, а почему у мамы два подарка, а у меня — один? — тихо поинтересовался мой сын.

— В следующий раз и у тебя два будет, — говорю я не строго, но значительно.

— Я просто сейчас два хотел, — вздыхает Антон еще тише.

— Что это значит? — Я строго смотрю на ребенка. — У тебя один подарок, у меня два, о чем мы говорим? Лучше бы ты похвалил мою шапочку и варежки и порадовался за меня. И еще сказал бы, как они мне идут!

— У меня для тебя кое-что есть! — шепнула моя мама внуку.

— Но я сейчас хотел, — упрямо бормочет он.

— Антон! Встань и иди к себе в комнату, я не хочу сидеть с тобой за одним столом!

— Перестань! — возмущается мама. — Что ты сразу кричишь? Он же не понимает...

— Выйди вон отсюда!

Антон моргнул, смахнув слезинку, и вышел.

— Мама! Сядь, пожалуйста, не надо за ним ходить!

В тишине столовой только ножи беседовали с вилками.

Кролик был какой-то сухой.

Мне и так-то не стоило его есть, а уж если он и невкусный... совсем глупо.

Конечно, я съела полную тарелку.

Неслышно зашел Антон:

— Извини меня, пожалуйста. Я понял.

Его мягкие тонкие волосы так чудно пахли. Все еще молоком, и уже — немножко — ветром.

— И ты меня извини, — шепнула я ему в ухо.

Мы снимаемся для обложки журнала. Вместе с Ксюшей Собчак.

Они хотят снять нас как Барби и Синди. Блондинка и брюнетка. Куклы.

Стилисты обсуждают между собой разноцветные пластмассовые украшения: клипсы, корона в волосы, кольцо.

— А что надевать? — спрашиваю я. Меня причесывает моя Наташа.

Собчак красят. Она — вся в черепах — листает журнальчик. На шее висит чешуйчатый член от De Grisogono.

— Для вас — вот это желтое платье.

— Одно только?

— Ну да, а сколько?

Стилистка так увлечена своим замыслом, что ей не до нас. Ее глаза горят, лоб озабоченно наморщен.

— А если оно мне не подойдет? — спрашиваю я.

Этот вариант она даже не рассматривает.

— Почему не подойдет? Мне кажется, все хорошо. Вы — в желтом, Собчак — в розовом. И у вас зеленые тени. Погуще ей вокруг глаз зеленые тени!

— Хорошо, — кивает Наташа.

Собчак начинает одеваться, я уже накрашена, беру зеркало.

Вокруг моих глаз — огромные ярко-зеленые круги.

— Что это ты мне сделала?

— Такой образ...

— Не надо мне такой образ! — Беру спонж, тру себе глаза.

— Не трогай! — ахает Наташа.

— У нас такой образ. Вы — Синди, желтое платье... — Стилистка начинает раздражаться: я ничего не понимаю в ее идее.

— А со мной этот образ обсудили? — спрашиваю я. — Вы меня спросили, мне он вообще подходит? Ваш образ?

— А что мне надеть? — интересуется Собчак. Она держит в каждой руке по розовой тряпочке. С кружевами.

— Стирай! — говорю я Наташе.

— Вот это, — показывает стилистка моей напарнице.

— Вот эти трусы и вот эту жуткую кофту? — уточняет Собчак. Чешуйчатый член зловеще раскачивается у нее на шее.

— Почему это она жуткая? — оскорбляется стилистка.

— А вы сами ее мерили?

— Нет, мне ее зачем мерить? Это для вас.

Собчак надевает шорты и кофточку с кружевами.

Кричит:

— Вы что, правда хотите, чтобы я в этом снималась? Я вообще такие вещи не ношу!

— Хорошие вещи, — не сдается стилистка, — чем вам не нравятся?

— Слушайте! А вы вообще нас не хотели спросить? Вам вообще наше мнение интересно?

Наташа перекрасила мне глаза.

Надеваю желтое платье. Красиво.

— А если бы ей платье не подошло? — кричит Собчак. — Вы бы мне трусы оставили, а ей кофточку эту дали? Или наоборот?

— Почему вы кричите? — возмущается стилистка.

Примеряю к платью пояс. Нет, лучше без пояса.

Туфли мне малы.

— А это какой размер? — спрашиваю.

— Малы? — радуется Собчак.

— Малы! — не то чтобы расстраиваюсь я.

— Просто они одни были, — сухо говорит стилистка, — попробуйте так надеть.

— Вы знаете, — я честно пробую их надеть, — это не наша проблема, что у вас туфли одни и одежды нет.

— Подошли бы к нам по-человечески, сказали бы: девчонки, такая ситуация, вот все, что есть, извините, пожалуйста, — говорит Собчак, — и давайте что-нибудь придумаем...

— У вас красивая кофта, — настаивает стилист.

— Я туфли не надену, — говорю я.

— Нет! Все! Вы вообще кто такая? — спрашивает Собчак.

— Я редактор.

— Больше вы не редактор! Нет, ты слышала, — она поворачивается ко мне, — красивая кофта! Я сейчас позвоню! Алло! Привет, привет... Слушай, мы сейчас для твоего журнала снимаемся, тут редактор хамит, грубит, так себя ведет... Ага... — Она убирает телефон. — Крокодил! — заявляет Собчак прямо в лицо стилистке. И повторяет отчетливо: — Кро-ко-дил! Вы меня поняли? Ваше место работы теперь будет — «Крокодил»!

Когда мы уже стояли в кадре, стилистка собирала свои вещи.

Ее уволили.

— Нет, она видела, что я вся в черепах пришла? И с членом на шее? Она могла сообразить, что это не просто так? Что вот такое у меня настроение! Осуждаешь? — Она повернулась ко мне. В любой ситуации выглядит отлично. Имидж главной блондинки страны обязывает.

Я влезла в 35 размер.

— Нет. Ни капельки.

Интервью.

— Скажите, счастье — в деньгах?

— Нет, конечно. Но с деньгами можно прекрасно проводить время в ожидании счастья.

— У вас есть мечта?

— Мечта?

В тренажерный зал точно ходить не буду. Может, попробовать в «London Body School» Илзе

Лиепы? В Жуковке открылась. Катя ходит, говорит — здорово.

— Ну, конечно, есть. Кубики на животе.

— А если серьезно?

— А вы думаете, кубики — это не серьезно? Вы, наверное, никогда спортом не занимались.

А может, пойти в «Звезды на льду»?

А если надоест?

Если бы я была ведьмой, я бы гнала зиму метлой.

Москва веселилась разгульной пятницей, а я читала заключение Института социальной и судебной психиатрии им. Сербского.

Социально опасен. Агрессивен.

На полстраницы анализ пунктуации в письме. Преобладающие восклицательные знаки.

За фразой «нежный фрукт» прослеживается сексуальный подтекст.

Шизофрения.

Сан Саныч сказал, что мне необходимо встретиться с психологом, чтобы он проконсультировал меня. На всякий случай.

— На какой это всякий случай?

— Случаи бывают разные. Да ладно, успокойся. Он же просто шизофреник, а не какой-нибудь боевик-наемник.

— Просто ши-зо-френик?!

— Ну, конечно. Смотрела фильм «Телохранитель»? У тебя, кстати, нет случайно сестры-неудачницы?

— Нет. У меня вообще никого нет в этом смысле.

Я — идеалистка. И я считаю, что человечество не так глупо, как кажется на первый взгляд. И поэтому я привыкла думать, что люди меня любят. Даже те, кто делает вид, что ненавидят меня.

Например, некоторые литературные критики.

Позвонила Регина. Я обещала написать в журнал колонку под названием «Как модно праздновать Новый год».

— Не написала? — вздохнула Регина. — Такие у них темы тупые.

— Написала. И даже дала рецепт рождественской утки.

— Здорово! — обрадовалась Регина. — И, кстати, они сделали специально для тебя новую рубрику «Обед за городом».

— Пусть отменяют. Я на диете.

— Ты что? — ахнула Регина.

— Созвонимся попозже, ладно?

Заехала домой переодеться.

После вчерашнего дня рождения папы еще всюду валялись воздушные шарики. Мы надували их с Антошкой целое утро.

Сын выбежал мне навстречу.

— Антошечка! Иди обниматься! — Я широко расставила руки. В них могли уместиться и мой сын, и моя мама, и еще несколько родственников.

— Так! Доесть сначала! — приказала мама, будто потянула за поводок. Сын послушно вернулся на кухню.

Пять макаронин были геометрично разложены на тарелке в форме бабочки. Антошка вилкой, уныло, переместил одну из них в центр. Рисунок поменялся, как в калейдоскопе.

— «Ну, говори, говори! — поторопил Малыш, он явно сгорал от нетерпения», — бодро читала моя мама раскрытую книжку, поглядывая на страницы сквозь узкие, как маска Бэтмена, очки. — «Так вот, — не спеша начал Карлсон, — один глупый мальчишка прилетает на вертолете системы «Карлсон» на этот балкончик...»

— Как тебе в садике? — спросила я.

— Нормально, — вздохнул Антон. — А можно мне больше не есть?

— Можно.

— Еще две штучки, и все. «...Злющая домомучительница слышит звонок...»

— Конец! — обрадовался Антон, пристроив макаронную бабочку за щекой. — Я пойду, мне надо позвонить Люсе!

Мы гоняемся за бабочками не тогда, когда хочется есть. Что это? Надо записать. Нет, бред какой-то.

Или не бред...

Когда тебя десять раз на дню спрашивают, в какой момент вы почувствовали себя исключительной, наступает день, когда именно *такой* ты себя и чувствуешь.

Все-таки бред.

— Мам, — я постаралась сказать это очень мягко, — я прихожу домой, я скучаю по ребенку, он бросается мне навстречу... а ты говоришь, что он должен доесть. Ведь он мог поцеловать меня, а потом доесть.

— Еще какие-нибудь претензии будут? — Она сняла очки Бэтмена и сразу стала моей обыкновенной мамой.

— Ну, что ты обижаешься?

Но она уже ушла.

19.19, и он хочет меня увидеть.

Но сначала заеду к Кате. Там посмотрю на себя в передаче «Что хуже?».

Надеваю ярко-зеленое платье с лосинами и туфли.

Если беды не воспринимать как беды, то бед нет. И зима — не беда.

Туфли на высоком каблуке.

Мой любимый фильм Альмодовара «Высокие каблуки». Как, наверное, здорово быть режиссером такого замечательного фильма!

А ведь когда я училась в школе, я мечтала именно об этой карьере.

Я снимала короткометражки в институте, но они не пользовались успехом у преподавателей.

Я вышла замуж, и мой муж вообще не хотел, чтобы я работала.

Нигде, кроме как дома.

Звоню своему мужу. Бывшему.

— Привет. Сегодня в 9 будет моя передача по телевизору.

— Какая передача?

— Моя. Я же тебе говорила. «Что хуже?».

— А... Слушай...

— Что?

— А тебе вообще деньги за эту твою книжку платят? Она же вроде бестселлер? — Мой бывший редко чувствует себя неловко, но сейчас, судя по голосу, это был тот самый уникальный случай.

— Бестселлер, — с гордостью подтверждаю я.

— Ну и что, платят?

— Платят... — говорю я туманно и кокетливо.

— Ты понимаешь...

— Что? Твоя девушка решила написать книжку? Давай, это сейчас модно.

— Какую книжку... Не начинай. Скажи лучше, Антон дома?

— Дома, у нас родители в гостях. А что ты хотел спросить-то?

— У меня проблемы. Очень серьезные...

— На бирже?

— Да, то есть... ну, в общем, да. — Он вздохнул.

— У нас есть деньги. — И почему-то еще добавила: — Ты не волнуйся.

— Ладно.

— А это у тебя надолго?

— Не хочу загадывать... Боюсь, что да.

Мы помолчали.

— За дом я, конечно, буду выплачивать, — поспешил сказать он.

— Спасибо.

— Ну, пока.

— А мне миллион предлагают, — не удержалась я.

— Чего? — не понял он.

— Долларов.

— За что?

— За пять книжек.

— Бери.

— Не знаю.

— И по телефону об этом поменьше говори.

— Ах, да... знаешь, у меня маньяк.

— Маньяк? — Он рассмеялся. — Жених, что ли?.. Алло?

— Жених, — сказала я.

— Ну, ты поаккуратней. Пока.

— Пока. В воскресенье Антона заберешь? Не давай сладкого, опять аллергия.

— Я понял.

— И пусть твоя девушка не говорит ему, что он плохо одет. Антон сам одевается. И если сейчас ему хочется носить килт — пусть носит.

— Она не говорила.

— Говорила. И пусть теперь помолчит.

— Ладно. Пока.

— Пока.

Еду к Кате.

Надеюсь, *он* не увидит сегодня мою передачу.

Когда меня показывают по телевизору, я надеюсь только на то, что никто этого не видит.

И сама редко смотрю.

А потом я жду, что кто-то все-таки увидел, позвонит и скажет: как было здорово!

Это бывает. Редко.

У Кати играли в покер.

— Ты что, с охраной? — удивилась Марина Сми. Без мотоциклетного шлема она была похожа на обычную буржуазную блондинку.

Катя была со стриптизером. Брутальный брюнет с лицом полевого командира.

Он все время смотрел на Катю и краснел. Когда она протягивала руку к чайнику, он уже сыпал сахар. Если она начинала говорить, он уже смеялся.

Над Катиной головой светилась корона из его восхищенных взглядов, и лучи от него больно резали нам глаза.

— А где твой? — спросила я Регину.

— Не знаю, так странно, в последний момент просто испарился. А я думала вас познакомить.

Регина проигрывала.

Я села на пол перед телевизором.

У Кати была совершенно не модная квартира. С какими-то вышитыми салфетками, старыми рамками, потертыми комодами.

Катю воспитывала бабушка. Одна. Родители уехали за границу, там развелись, потом завели новые семьи, новых детей, про Катю и бабушку вспоминали только на Новый год и Катин день рождения. Когда бабушка умерла, Катя все оставила в квартире как было и очень ревниво оберегала все, что было связано с памятью о ней.

В старинных подсвечниках всегда горели свечи, а в зеркалах собственное ваше отражение напоминало антикварный портрет.

Мне всегда хотелось заглянуть во многочисленные шкатулочки, расставленные по всем комнатам, но Катя относилась к ним так трепетно, что, казалось, сделав это, откроешь не перламутровую крышечку, а чью-то страшную, охраняемую веками тайну.

— Пас! — сказала Регина и раздраженно в телефон: — Алло!.. Вообще-то поздно уже, вы когда-нибудь отдыхаете? Ужас, опять журналисты!

По телевизору шел анонс «Что хуже?».

Вот что значит талант — съемка проморолика заняла всего 10 минут. А фотографии получились шикарные! Мои и Гулины. Что хуже: когда тебя зовут Гуля или когда тебя зовут Дуля, например?

— Что ты ненавидишь? — спрашивает меня Регина, прижимая трубку плечом и выравнивая в руке карты.

— Еду в самолетах.

— Пас... Нет, это не вам. Она ненавидит еду в самолетах. А что любишь?

— Фейерверки. Вы идете смотреть? Начинается.

— Флэш-ройял. — Регина радостно выложила свои карты на стол. Так, наверное, кошка приносит показать свою задушенную мышку. — Что вы сказали? — Это уже в трубку. — Да я не с вами разговаривала!.. Теперь с вами... Какой у нее девиз?

Началась передача. Музыка, наши с Гулей радостные лица. Мое приветствие. Мы его переписывали четыре раза. Я никак не могла запомнить.

— У тебя есть девиз? — повторила Регина, обращаясь ко мне.

— Переходим к следующему вопросу, — говорю я.

— Переходим к следующему вопросу, — говорит Регина невидимому собеседнику и шепчет, закрыв трубку рукой: — Она спрашивает, почему к следующему?

— Это мой девиз, — поясняю я.

Макияж отличный.

— Красотка, — говорит Катя.

Стриптизер нежно перебирает густые пряди ее волос, красиво раскладывает их по плечам.

Регина устроилась на полу рядом со мной.

— Эта Гуля — какая-то дура, — говорит Катя.

— Ну, все, — вздыхает Регина и жмурится, как от яркого солнца, — ты теперь вообще... И так была звезда, а теперь вообще!..

— И платье у нее жуткое, — продолжает Катя. — Ей бы вообще похудеть.

— Да нет, платье ничего, — говорю я.

— У тебя лучше.

— Ну, да. У меня — шикарное.

Звонит мой мобильный.

Я испугалась, что это *он* — увидел.

Нет. Ложная тревога. Это всего лишь 755-55-55. Срабатывает автоответчик.

Он оставляет сообщение.

— У меня маньяк, — шепчу я Регине во время рекламной паузы. Не хочу, чтобы стриптизер слышал.

— Да ты что? — ахает Регина. — Ты поэтому с охраной?

— Да. И есть мнение, что это кто-то из близких.

Мы обе почему-то смотрим на стриптизера. Потом — друг на друга.

— Блин, опять журналисты! Алло! Нет, это не она, это ее директор... да... да... отлично. У нее 38-й итальянский. Спасибо. Я записала.

— Что? — спрашиваю я. Передача продолжается.

— Выйдешь в платье: пройдешь 5 минут по подиуму, и они платье подарят тебе.

— А что за мероприятие?

— Релиз по электронке пришлют. Завтра.

— Малыш! Ты меня волнуешь! — обернулась Катя к своему молодому (в прямом смысле) человеку. Он заплел из ее волос две косички и держал их пальцами, как два провода. От бомбы.

— Если человек талантлив, то он талантлив во всем! — провозгласила Регина, когда передача закончилась.

— Ну, а ты что молчишь? — спросила я Марину.

Марина подошла и обняла меня.

— Ты супер! — улыбнулась она.

...Не буду слушать автоответчик.

Сан Саныч сказал мне: не слушать. А запись — сразу к ним.

А может, он просто так позвонил? И ничего не сказал?

Или даже наоборот. Он, наверное, вообще в первый раз увидел меня. Он думал, что я толстая, старая и глупая. А я молодая, худая и с юмором. Он оценил. Позвонил и сообщил мне, что был лох. И просит мой автограф, и пришлет мне книжку.

Выхожу перед «Fresco».

У нас свидание. Специально смотрю на часы: 22.24. Ой, как жалко. На две минуты опоздала.

Уже вижу его в конце зала.

Его взгляд, как всегда, дотрагивается до меня. До моей шеи.

— Мусик! — отвратительно-пронзительный голос. Это моя бывшая подружка. Мы давно не виделись. С тех пор она перекрасилась в брюнетку, развелась и растолстела.

— Привет! — мы целуемся два раза, по-европейски.

— Что это? Ты теперь книги пишешь? — спрашивает она.

— Ну да, — устало вздыхаю я. — Только у меня нет с собой. Я всем говорю: пойдите в магазин и купите. А я 20% получу.

— Мусик! Я такую литературу не читаю!

— Ну, слава богу.

— И, прошу заметить, не пишу.

Он уже машет мне рукой из-за стола.

— Тебе и не надо, — говорю я.

— Ты думаешь? — Она демонстрирует свои идеально отбеленные зубы. — Или конкуренции боишься?

— Не боюсь. Только ты пока худеть будешь, я уже с таким отрывом вперед уйду! — Я улыбнулась и, слегка задев ее плечом, прошла мимо.

— Мусик! Мое достоинство в том, что мне даже худеть не надо: я уже с отрывом! — протянула она мне вдогонку.

— Кто это? — поинтересовался он.

— Подруга. Бывшая.

Когда ты богата и знаменита, людям гораздо проще понять, почему они тебя любят. И гораздо сложнее объяснить, почему они тебя ненавидят.

— И много у тебя таких подруг?

— Вообще-то нет. Я и про эту-то, честно говоря, забыла.

— В этом все и дело. А она — нет.

— Да. — Я улыбнулась. — Что будем есть?

Мы ели мясо. Банально и вкусно.

Никаких тебе устричных муссов и туренов из выжимки чего-то там...

— Расскажи, как провела день? — спросил он.

— Смотрела свою передачу по телевизору.

— Да? А что же ты мне не сказала?

— Ну... начал бы критиковать. Ты же профессионал!

Неожиданно для самого себя он довольно улыбнулся.

— А ты что, критики боишься? Если она конструктивная?

— Конструктивными бывают советы. А критика — всегда или злая, или глупая.

— Не согласен. Вино будем? — он попросил у официанта винную карту.

— А ты сейчас чем-нибудь занимаешься? — спросила я.

Позвонила Регина. Какой-то новый журнал хочет снимать у меня дома.

— Новый? Не соглашайся. И еще не соглашайся, если захотят снимать Антошку.

— Почему? — удивляется Регина.

— Ну, я же тебе говорила сегодня.

— А, из-за маньяка? Ты думаешь, это так серьезно?

— Просто не соглашайся.

— Ладно. Но в принципе новому журналу я сразу сказала: «Вряд ли».

Он заказал бутылку «Barolo Zonchera».

— Ну? — повторила я. — Ты чем сейчас занимаешься?

— Выбираю для тебя вино.

— Это твое основное занятие?

— Пока да.

— Что ж, надо стараться делать так, чтобы тебе твое занятие не надоело.

— Есть над чем поработать. Мы в Нахабино едем? Наконец-то?

— Когда?

— Завтра.

— Ну... Okay. Едем.

Мясо было с кровью. Как он любит.

— А ты не хочешь заняться каким-нибудь бизнесом? — спрашиваю я.

— Бизнесом? Нет.

— Почему?

— Мне не интересно.

— А что интересно?

— Смотреть на тебя — интересно.

— Да? — Я кокетливо улыбаюсь. — А еще что?

Он перегибается через стол ко мне.

— А еще: целоваться с тобой.

— Да, я заметила, целоваться ты любишь... Ты, кстати, только целоваться любишь? — хохочу я.

— Завтра я тебе покажу, что я люблю.

— Ох, как интригующе!..

Он извинился и сказал, что должен на минутку подойти к соседнему столу. Там ему навстречу встал грузный мужчина в клетчатой жилетке и с заячьей губой.

Я смотрела на его телефон рядом с моей тарелкой.

Он смотрел на меня. Кивал клетчатому.

Я как-то очень медленно протянула руку к его телефону.

Взяла его.

Он что-то говорил своему знакомому.

Я нажала на кнопку SMS.

У него их много. Исходящих.

Все — по одному и тому же номеру.

Он смотрит на меня.

У меня дрожат руки.

«Зая, я опять приду поздно. Ложись спать. Люблю».

«Люблю».

«Люблю».

«Еду домой очень голодный. Но ты, наверное, не накормишь меня».

«Спасибо за ужин. Было вкусно. Правда, котлеты холодные. Но я заслужил. Люблю».

Я знаю, как люди тонут. Им не хватает воздуха, и они задыхаются. Они даже не очень понимают, что тонут. Они просто хотят дышать — и не могут.

Он смотрит на меня. Испуганно. Берет своего собеседника за локоть, словно хочет перебить его.

Я вскакиваю.

Телефон падает с колен на пол.

Я, наверное, бегу, но не замечаю этого. Я ничего не вижу, потому что глаза — как ванны, из которых вода льется через край.

— Мусик! — Пронзительный голос бывшей подруги. — Ты не поцелуешь меня?

Подбегаю к машине. Я оставила ключи на столе.

Желтое такси только что отъехало.

Я рыдаю в голос. Машу таксисту руками, дергаю дверцу. Оказываюсь на заднем сиденье.

Охранники прыгают в машину сопровождения, со свистом газуют.

Он выбежал из ресторана.

Я сижу сзади и плачу.

Он вернулся в ресторан? Оборачиваюсь назад.

Рядом с моим окном оказывается моя машина. Он — за рулем.

Показывает мне руками — остановиться.

Я что-то кричу ему в закрытое окно.

Он подносит руку к уху, он не слышит.

Я кричу еще яростнее.

Он смеется.

Я вижу эту картину со стороны.

Гонка. Он меня преследует. Я, рыдающая, выкрикиваю оскорбления, которых он не может слышать.

Он хохочет. Старательно.

Показывает: открой окно.

Водитель спрашивает, что ему делать.

— Не останавливайтесь! — кричу я и снова в закрытое окно: — Гад! Какой же ты гад! Ты меня обманывал!

У меня разрывается телефон. Я не отвечаю. Открываю наконец-то окно.

— Ты обманул меня! — кричу я в истерике.— Ты врал мне все время!

— Нет! — он качает головой. Мы едем на приличной скорости, ему надо еще смотреть вперед.

— Ты говорил, что давно не признавался в любви! А у тебя есть другая! Ненавижу тебя!

Моя машина сопровождения начинает отжимать его от такси.

— Ты неудачник! — ору я, и мои слова смешиваются со снежинками, которые сразу тают.— Ты только и способен на то, чтобы девицам головы морочить!

Моя охрана неожиданно жестко вклинивается между нами, его машина делает крен на обочину, я наконец-то беру телефон.

— Все нормально, — говорю я охране совершенно спокойно. Водитель разглядывает меня в зеркало. — Заберите у него мою машину. Я еду домой.

Моя душа не плакала. Она страшно

выла и царапала небо обкусанными ногтями.

Как в кино.

Запись с голосом маньяка скачивается на компьютер. Вытягиваются все звуки, которые могли быть в то время, когда он надиктовал сообщение.

Сначала смутно, а потом уже четко я узнаю среди прочих шумов свой голос.

— Как телевизор, — говорит Сан Саныч.

— Это моя передача «Что хуже?», — объясняю я.

— А! Так у него, видишь, обострение, когда он тебя видит.

Он, конечно, не просил у меня автограф. Он мерзко шипел что-то про то, что я — овощ. А он — Садовник. Больной дебил.

— Выключи автоответчик. И не бери трубку. Мы должны вынудить его искать какие-то другие формы общения.

— Какие?

— У тебя не намечается какого-нибудь мероприятия? Распиаренного? Чтобы он знал, что ты там точно будешь?

— Не знаю... У меня в понедельник online-конференция с «Комсомольской правдой». Весь

Интернет в анонсах. И на моем сайте, наверное, информация имеется.

— Да? Отлично. Я с тобой поеду. Диктуй адрес.

— Я не знаю адреса. Он у Регины.

— А Регина прямо все про тебя знает?

— Все. Она же мой директор.

Сан Саныч наконец-то выключил компьютер с шипящим голосом.

— Надо будет подумать об этом...

— Что именно?

— Да не бойся. Ладно, до понедельника.

Приезжаю на телевидение. Гримерка.

— Молодой человек! Я же вам сказала — мне нужен темный тон! Как загар!

Передача о гламурной жизни.

— Я взял тон цвета вашей кожи. — Гримеру лет двадцать. Он похож на девочку.

— А мне не надо цвета моей кожи! Мне надо — загар!

— Ну, ладно, что вы волнуетесь?

— Это я еще не волнуюсь!.. — угрожающе предупреждаю я.

Звоню Регине.

— Ты почему Наташу не вызвала?

— Забыла. Извини, тут столько народу звонит...

— А теперь из меня тут делают венецианскую маску!

Гример фыркнул, как котик, понюхавший валерьянки.

— Извини. У меня тут у самой...— вздохнула Регина.

— А что у тебя?.. — И гримеру: — Покажите мне сначала эти тени!

Юноша положил передо мной коробочку и вышел.

— Да мой чего-то... Наорал на меня, сказал, везде бардак, куда ни глянь — журналы с твоими портретами, ему, видишь ли, сесть негде. Довел меня до слез.

— Слушай, а можно мне уйти? — Я вижу в зеркало, гример шепчет что-то на ухо девушке в черном парикмахерском фартуке.

— Да ты что? У них же эфир через полчаса, они же никого не найдут в замену!

— А если у меня голова разболелась?

— Ну, выпей таблетку...

— Я не хочу таблетку.

Подошел гример.

— Вы знаете, не надо меня докрашивать, у меня голова разболелась, я поеду...

Я встала.

— Как? — Он даже обиженного из себя строить перестал. — Подождите, я редактора позову.

Редактор поймала меня в дверях.

— Извините, — сказала я, не останавливаясь, — я, наверное, вас подвожу, но... извините...

— Не дай вам бог, чтобы вас кто-то так подводил, — проговорила редактор мне вслед. И тихонько добавила: — Стерва.

Еще одно интервью на «Веранде». И — домой.

Сначала я увидела его машину. Она остановилась как раз у того окна, возле которого я сидела.

Потом вошел он.

Я отвернулась.

— Если вы не возражаете, мы устроим такой блиц-опрос? — говорит журналист.

— Не возражаю, — говорю я очень вежливо и красиво улыбаюсь.

Он подходит к нашему столу.

— Привет! — говорит он. — Я не помешал?

— Вы можете начинать. — Я по-прежнему улыбаюсь, как мумия из Антошкиной книжки про Карлсона.

Не обращаю на него никакого внимания.

— Да-да! — Журналист щелкает кнопкой диктофона, переводит взгляд с меня на Александра. Восторженно улыбается. — Вы меня не помните? — спрашивает его журналист. — Мы с вами вместе на одной передаче работали.

Я с улыбкой, которую пришили к лицу, не поворачиваю голову. Смотрю только на журналиста.

— Да, помню, вы теперь что, в газете? — слышу его голос. И проваливаюсь в него, как в пропасть.

— Я работаю для разных изданий! — радуется журналист. — А вы к нам не присядете? Я помню, какой резонанс был, когда вы с телевидения ушли! Все лучшие люди тогда ушли...

— Нет, спасибо, в другой раз, — говорит он. И уходит.

— Больше и не осталось на телевидении профессионалов, — вздыхает журналист, провожая его взглядом.

— А я? — спрашиваю я и при этом смотрю ему прямо в глаза. Издевательски.

— Ах, да! — спохватился фанат Александра. — Вы-то, конечно! Поздравляю с дебютом. Когда второй блок снимать будете?

— Скоро. Давайте ваши вопросы.

— Вы мечтали о славе?

— Нет. Да. Не помню. Наверное, все мечтают о славе.

— А как вы думаете, ваши книги, ну, одна пока, переживут вас? Вы бы хотели этого?

— Мне слишком рано думать о том, кто кого переживет.

— А если все-таки представить... Какую бы надпись вы хотели увидеть на своем надгробном камне?

«Перед тем как стать надгробным, этот камень убил зануду — журналиста в ресторане «Веранда».

— Она умерла счастливой 120-летней старушкой на руках у любимого.

— Хи-хи, — сказал журналист.

— А у вас какая? — спросила я.

«Я однажды работал с величайшим телеведущим всех времен и народов. Аминь».

— У меня... ну, не знаю. Такая же, наверное.

— Старушкой бы хотели? — участливо интересуюсь я.

— Нет! Нет! — Он замахал руками.

Я посмотрела в окно. На месте его машины парковался «BMW X3».

— А почему вы решили написать книжку?

— Мне не интересен этот вопрос.— Я не отвожу взгляда от окна. — Я на него отвечала за эти полгода чаще, чем за всю жизнь произносила свое имя.

— Но читателям интересно...

Из «X3» выходит блондинистая девушка в меховой безрукавке.

— Посмотрите в Интернете. А вы с ним правда работали? — киваю я в сторону выхода.

— Да... было время. Я его вообще, можно сказать, всю жизнь знаю.

— Как это?

— А мы жили в одном доме. Я, правда, потом женился и уехал, а он так до сих пор там...

— Это какой дом-то?

— На Арбате. Пересечение с Садовым. Знаете, где супермаркет?

Знаю. Мы там познакомились.

— Ну, все? — спрашиваю я и встаю, не дожидаясь ответа. — Я вам по телефону надиктую, если еще что-нибудь понадобится. Okay?

20.44. Еще не поздно. Антошка еще не спит.

Он спрашивает меня, когда приедут в гости бабушка с дедушкой.

В садике на Новый год он будет Чиполлино. Он хочет, чтобы бабуля посмотрела.

Он в своей комнате. Они с няней раскладывают на полу какую-то игру.

Я вспоминаю, как он вошел в ресторан. «Привет, я вам не помешал?»

Он проезжал случайно.

Или не случайно? Я ведь почти каждый день на «Веранде» интервью даю.

А если бы я сказала: «Привет»?

— Нет, Антошка, арбуз — это фрукт, — говорит няня, — его надо вот сюда.

— Что это у вас? — спрашиваю я.

— Игра! — кричит мой сын. — Бабуля подарила!

— А что надо делать? — Я рассматриваю деревянные дощечки.

— Если правильно распределишь фрукты и овощи, то станешь садовником, — радуется Антон.

— Так... — няня берет в руки очередную дощечку, — маракуйя... это... овощ!

— Это фрукт, — говорю я и выхожу.

— Проиграла! — слышу я счастливый голос моего ребенка.

Звоню маме.

— Как у вас дела?

— Хорошо, едем путевки покупать. В санаторий, и на Новый год там будем.

— Дорого?

— Так... не очень дорого...

— Ну, сколько?

— Слушай, какая разница? Я же у тебя деньги не прошу?!

— Я просто так спросила. Мам, почему нельзя ответить?!

— Так, все? А то меня папа ждет, вон одетый стоит в дверях... Тебе привет.

Она положила трубку, не прощаясь.

Я перезваниваю.

— Алло? — говорит она так, словно спрашивает: «Что еще?»

— Мам, знаешь, у тебя когда будет хорошее настроение, ты мне сама звони, ладно?

— Нет, ей обязательно надо довести меня? — спрашивает мама — видимо, папу.

Гудки.

Сижу в своей комнате, в темноте.

Если бы он позвонил, я бы не ответила.

Нажала на букву «П». Высветилось «Пух».

Стерла номер.

Проверила. В списке: Петр, Пулат, Раиса.

Пуха нет.

Пододвинула к себе ногой какой-то журнал.

«Шестнадцать вопросов от наших читательниц». Первый: «У меня на лице все время скатывается пудра». Решение: «Попробуйте закреплять макияж термальной водой!» Второй: «Я все время потею». Решение: «Смените дезодорант!»

Я представила себя редактором этого журнала. Передо мной — длинная очередь из девушек. Они мне жалуются. Я им помогаю. Они уходят с просветленными лицами.

— Что мне делать? Тушь на моих ресницах ложится комочками? — плачет девушка.

— Не краситься! — ласково говорю я. — Ты и так красивая. Только сделай пластическую операцию, подправь нос. И не бойся! Хуже — не будет.

Набрала номер Регины.

— Не могу, — шепчет она. — Мой дома! Ничего срочного?

Звоню Марине Сми.

— Ой, моя дорогая, — радуется Марина, — у меня новость!

— Да? — мрачно интересуюсь я.

— Мы обсуждаем день свадьбы!

Всего-то десять публикаций в желтой прессе, оказывается, способны творить чудеса!

— Он сделал тебе предложение?

— Да! Да! Да!

— А Василиса?

— Орет, что ей нужен дом на Рублевке.

— А он?

У меня вторая линия. Графиня Вишенка.

— Я н-н-н-не поздно?

— Честно говоря, я уже сплю.

— К-к-как наши дела?

— Я думаю, нормально.

— П-п-подписываем?

— Да.

— К-к-когда?

— Давайте прямо на следующей неделе. Я потороплю юриста.

— Х-х-х-х-хорошо.

Не буду выкупать дом. Куплю на эти деньги другой — на море.

Ветер бился в окно. Вздыхала вьюга.

Я строила планы целую ночь.

Ничего из того, что казалось мне таким возможным вечером, мне не было нужно утром

Я не хочу дом на море.

Я хочу, чтобы он позвонил мне.

А я бы не взяла трубку.

Кто вообще решил, что Ева любила Адама?

Сидим с Региной в офисе «Снежной Королевы». Они продают дубленки, шубы, вообще всякую одежду.

Вице-президент вещает про то, что они выбирают лицо для своей рекламной компании.

Вице-президент похожа на топ-модель. Ее зовут Вика.

— Реклама-наружка по всей Москве плюс в журналах, и ролик по телевидению, — мило улыбается Вика.

Странно, что эта Вика сама не хочет стать «лицом компании». Очень даже достойное лицо. И гламурное. В меру.

Они обсуждают с Региной сумму гонорара.

— Не будем скрывать, мы ведем параллельные переговоры с Кристиной Орбакайте.

Пожимаю плечами.

— А вы придумали креатив?

— Ну, мы хотели что-то очень нежное, воздушное, что-то совершенно не так, как было с Тиночкой Канделаки. А даже наоборот...

— Я бы хотела посмотреть... — говорю я.

В сущности, я всегда знала, что у него есть девушка. Которая оставляет ему на ужин холодные котлеты.

— Ну, конечно, посмотрите. Если подпишем договор, то...

Он никогда не звонил мне по воскресеньям. И никогда по воскресеньям не встречался со мной.

— Я бы хотела посмотреть до того, как мы подпишем договор.

— Да? Это в принципе возможно, но не очень-то практикуется. Мы ведь будем создавать концепцию рекламы под вас, зная, что мы договорились. Видя перед собой ваш образ...

Вика улыбается так очаровательно, словно успешно закончила London Business School.

Я надеюсь, Вика не перепутает меня с девушкой, которая с утра до вечера объедается котлетками?

— И тем не менее... Я бы хотела посмотреть «до», и от этого тоже будет зависеть мое решение.

— Мы понимаем...

Наверно, мы даже могли бы подружиться.

С Викой, а не с котлетной девушкой.

— Значит, переносим встречу? — бодро подытожила Регина.

Вика пожала плечами:

— Ну, если вы настаиваете...

Кто жс она, эта девушка-котлетка?

— Тебе надо за выходные написать колонку. У них — дедлайн. Тема: «Как развестись и остаться друзьями?»

Я посмотрела на Регину. Она засмеялась.

— Ну, что я могу сделать? Это же не я придумываю?

— Знаешь что...

— Что?

— Давайте завтра с девочками пообедаем?

— Завтра? Воскресенье... Мой меня убьет.

— Ну, придумай что-нибудь!

— Ладно. И Катьке позвоню.

Катин любимый фильм — «Джентльмены удачи».

Мы смотрим его на «Веранде».

В ресторане большой экран, нам дали столик прямо перед ним, с диваном.

На столике стояла табличка «Зарезервировано».

Не нами.

Почему-то в тот день было очень много посетителей.

Мы пили пиво. И курили кальяны.

— Скажи тост, — попросила Регина Катю.

— Не мешайте мне смотреть кино.

Сзади кто-то тронул меня за плечо. Я обернулась.

Моя знакомая. Она сказала, как шикарно я выгляжу, я ответила ей тем же. Милая приятная девушка, жена моего знакомого.

Она спросила, как ребенок, я сказала «спасибо». Даже с милыми и приятными не всегда хочется общаться.

Она вспомнила про мою фотографию в каком-то журнале, которую она считает самой лучшей. Чтобы с тобой хотели общаться, не надо быть ни милой, ни приятной, а известной.

Она, видимо, рассчитывала сесть к нам.

Либо пригласить ее за стол и терпеть ее присутствие, либо поступить невежливо.

Не комментируя последнюю фразу, я улыбаюсь ей и отворачиваюсь.

— Ну, ты созрела? — спрашиваю Катю. — Для тоста?

— Созревшую женщину уже кто-то ел, — говорит Катя, не отрываясь от экрана.

Леонов обещает всем порвать пасть.

Звезды — они как дети из благополучных семей. Две составляющие их жизни — всеобщая любовь и вседозволенность. Первое делает человека добрым, второе — несчастным.

Катя предложила тост — за возраст.

— Твой или мой? — уточнила 25-летняя Марина.

— За твой каждый дурак может пить, а вот за мой!..

Катя принялась рассуждать о том, как хорошо самой выбирать себе мужиков. Быть взрослой и самостоятельной.

— Когда мне было 25, я думала: мой муж должен быть богатым. Очень. Он должен обеспечивать меня и моих детей. У него должны быть деньги, чтобы мои дети были не хуже других. И он должен заботиться о моей бабушке. — Официантка в черном фартуке поставила перед нами четыре новые кружки с пивом. — И у меня просто не было морального права влюбиться в электрика!

— Почему в электрика? — Регина, как всегда, в одной руке держала блокнот, в другой — стакан.

— А кто еще бедный? — опешила Катя.

— А стриптизер? — ехидно поинтересовалась Марина.

— Он не бедный!.. — протянула Катя. — Особенно с учетом того, что у меня все есть: дом, машина, дочку, слава богу, папа обеспечивает, а бабушка, — Катя всхлипнула, — преставилась... Так что нам вполне хватает его чаевых. А в 25 лет это было бы невозможно!

Мне нравится, как Катя говорит: «преставилась» или еще, например, «бражничали». А когда она выпьет совсем много, она жмурит глаза и протяжно поет: «лепота-а...»

Фильм закончился, мы попросили поставить мультики.

Шрек похож на Катю. Мы хихикаем.

— Кать, ну зачем ты такое платье зеленое надела? — подразнивает ее Марина.

— Кать, чего ты гримера не вызвала? — смеюсь я.

— Кать, тебя попросили к съемке вес поднабрать? Тебе заплатили за это? — веселится Регина.

— Вон, вон, к Катьке Марина подошла! — обрадовалась я, увидев Кота в Сапогах.

Я рассказываю про SMS.

Я называю эту историю своей несчастной любовью. Я — с подругами. Мне хорошо, я говорю о том, о чем думаю постоянно, и они меня слушают. И все мы — вместе. Я рассказываю все-все. И меня понимают мои подруги.

Про котлетки.

— С какой-нибудь лохушкой живет, — уверенно говорит Катя.

— А может, нет... — я пожимаю плечами.

— Слушай, он публичный человек, и если никто не знает про его девку... — настаивает Катя, — значит, она лохушка.

Марина сидит гордая. Ей сделали предложение.

— Интересно было бы на нее посмотреть, — вздыхает Регина. У нее звонит телефон. — Да, алло. Вы знаете, сегодня воскресенье, позвоните завтра... Конечно, она в Москве... нет, у нее очень жесткий график... только на следующей неделе... до свидания.

— А наверняка можно узнать, где он живет, — говорит Марина.

— Я и так знаю. — Я пожимаю плечами. — И что дальше?

Но Маринино предложение все единодушно подхватывают, решение принимается мгновенно. Так же, как и опустошаются бокалы.

Мы заказываем четыре бутылки пива с собой и садимся в Катину машину. Мы собираемся подъехать к его дому.

Я иду последняя, потому что с кем-то здоровалась на выходе. Это кто-то знакомый, но только я не помню его имени. Тем не менее мы обменялись вежливыми фразами о том, какой замечательный сегодня день. Мороз.

Я выхожу на улицу.

Солнце качнулось, выскальзывая из рук.

Мои подружки уже машут мне из открытых окон Катиной машины.

Мы едем.

— А подъезд? — волнуется Регина. — Как мы найдем подъезд?

— По машине. Он никогда не звонил мне по воскресеньям, значит, они в воскресенье дома.

— А может, они куда-нибудь ходят? — предполагает Регина.

— Куда? Тогда бы он звонил! Трудно, что ли, пойти в туалет и оттуда позвонить? — Катя пьет пиво, наклоняясь к сиденью, чтобы не было видно в окно.

Мы подъехали к его дому.

Регина с Мариной купили в супермаркете еще пива.

Во дворе стояла его машина.

Мы кричали от радости, улюлюкали и хлопали в ладоши.

— Слушайте, а если они дома, то как же мы ее увидим? — спрашивает Регина.

— Может, расспросим соседей? — говорит Катя. — Узнаем, в какой квартире он живет, и я отнесу им телеграмму?

— А мы? — возмущается Марина. — Мы тоже хотим на нее посмотреть!

— А если всем позвонить в дверь, а потом сказать, что мы ошиблись адресом? — придумала Регина.

— Нет, я не пойду! — отказалась я.

— Смотрите, а это не он идет?! — закричала Марина.

— Он! — еще громче закричала я. — Прячьтесь!

Мы все сползли на пол.

— А он нас не знает. Чего нам прятаться? — прошептала Катя.

— Я посмотрю, — Регина чуть-чуть высунула голову. — Он с девкой! Они в машину садятся!

Мы все вытянули шеи. Уже никого не было видно.

— За ними! — закричала Марина. Она сидела на переднем сиденье, рядом с Катей. — Быстрей!

Он так гнал машину, как будто чувствовал, что за ним погоня.

— Обгоняй этого, на «Тойоте». Упустим! — Марина вцепилась в торпеду, ее глаза сверкали.

— Светофор! — закричала я. — Нам надо успеть!

— Нарушай! — орала Марина.

— Девочки, аккуратней, — проговорила Регина.

— Замолчи! — закричали мы хором.

Катя встала на повороте, на красный свет. Он проехал.

— Догоним! — говорила Катя.

— Упустим! — возмущалась Марина. — Я же тебе сказала: нарушай!

— Я же выпила! Как мне нарушать!

Зажегся зеленый.

Мы проехали по всем соседним улицам.

Мы их потеряли.

Марина сокрушалась, что не она сидела за рулем.

— Слушай, ты можешь от меня отстать? — злилась Катя.

— Мы из-за тебя его потеряли! — настаивала Марина.

— В следующее воскресенье приедем? — предложила Регина. — Мне понравилось. Весело.

— Ты хоть девку рассмотрела? — спросила я.

— Лохушка, — заявила Марина. — С химией. И они шли, знаете, девочки, как-то отдельно. И не разговаривали.

— В каком смысле? — уточняю я.

— Ну, в таком, — Марина начинает говорить возбужденно: — Вот мы когда с моим идем, между нами всегда какая-то интрига. Понимаете?

Мы кивнули.

— То он меня подколет, то я вперед забегу попой вильнуть, или мы за руки держимся...

— Ну да, — согласилась Регина.

— А они шли, как чужие... Нет там никакой любви. Одни котлеты.

Катя привезла нас к нашим машинам.

— Может, еще по пиву? — предложила она.

— Нет. Я — домой, — сказала я.

— И я.

— И я тоже. Я вообще своему сказала: на два часа, по делу срочно! — спохватилась Регина.

— А я тогда одна выпью! — заявила Катя.

— С ума сошла? — воскликнула Марина. — Езжай домой.

— Ладно. Как хотите. Я остановлюсь около палатки, еще бутылочку куплю. И знаете что? — Она притянула нас всех за руки в кружок. — Давайте поклянемся друг другу, что мы никогда никому об этом не расскажем!

Марина засмеялась.

— Это же позор! — пояснила Катя. — Мы взрослые женщины! С положением...

— Ты в положении? — уточнила я.

— Я-то нет, а вот ты — точно. Девочки, дайте мне слово: ни гугу про слежку!

Мы поклялись. Со смехом. Ни гугу!

Антона не было. Его забрал папа.

Я бродила по пустынному дому.

Села писать колонку: «Как пережить развод и остаться друзьями». Вечно они придумывают всякие ужасные темы!

Лохушка с химией.

А меня он всегда берет за руку.

«Как пережить развод и остаться друзьями».

Белый лист лежал передо мной. Красная пластмассовая ручка гармонировала с моим маникюром.

Я не знаю, как развестись и остаться друзьями. Наверное, надо разводиться как можно раньше. Тогда еще есть шанс.

Он попросил меня никогда не слать ему SMS. Почему?

Есть мужчины, которые вообще не воспринимают такой стиль общения. Или им лень.

Но он не из их числа.

Холодные котлетки.

Я нарисовала Чебурашку. Через пять минут передача «Что хуже?».

Я просидела за столом два часа.

Красиво меня красит Наташа. В этой передаче я была в кудряшках. Гуля — с хвостом.

— Что хуже? — спрашивает Гуля. — Писать книжки или их не писать?

Телефон. 755-55-55. Не отвечаю.

Гуля — дура. И зубы у нее какие-то...

— Что хуже: не иметь чувства юмора или выйти замуж за олигарха?

Телефон звонит, как-то очень кстати, мелодией Бетховена. «Лунная соната». Я бы хотела быть композитором. Я бы «клавишей стаю кормила с руки».

Номер не определен.

— Алло.

— Ну что, сучка?..

Бросила трубку.

Что хуже: маньяк по телефону 755-55-55 или маньяк с неопределенным номером? Гуля? Ау? Ты что-нибудь знаешь об этом?

Передача закончилась. Рекламный блок. «Русский размер». На весь экран — огурец. Овощи наступают.

Звонит телефон.

Смотрю на кусок черной пластмассы с кнопками и думаю: имею я право расплакаться или все-таки не распускаться?

Все нормально. Это Регина.

— Слушай! Суперсрочно, — шепчет она в трубку, — нужно ответить еще на один вопрос. С чем вы никогда не расстаетесь?

— С мазью от геморроя.

Она хихикает.

— А что, не гламурно?

— Нет.

— Тогда с томиком Пушкина.

— Ну...

— Тогда с журналистами! — ору я. — Я никогда не расстаюсь с журналистами!

И выключаю телефон.

Говорят, что, умирая, мы попадаем в другой мир. И там нам совсем не страшно. А даже наоборот.

Попыталась представить.

С крючком через весь рот, рыба радостно бьется об асфальт.

Не верю.

Я включила телефон. Перезвонила Регина.

— С тобой все нормально?

— Да.

— Написала колонку?

— Нет.

— Ужас.

Моя душа не плакала.

Она страшно выла и царапала небо обкусанными ногтями.

Утром Ира гремела кастрюлями.

— Буду свекольник варить! — сообщила она.

— Зачем? Свекольник летом едят, — сказала я. — Или нет?

— Вы можете себе позволить есть свекольник тогда, когда вам хочется, — ободряюще улыбнулась Ира.

Алик.

— Я все еще в Яшчилане! — радостно сообщил он.

— Что это? — поинтересовалась я, немного испуганно.

— Центр культуры майя в классический период. Я имею в виду первое тысячелетие нашей эры.

— Нравится?

— Поначалу страшно было. Я думал, это ягуары орут, а оказалось, обезьяна-ревун. Смешно, да?

— Смешно. А куда ты дальше?

— На моторке по Фронтера-Коросаль. Это поселок. А там махну автомобилем по дороге Карретера Фронтериза. 150 километров до Паленке. Говорят, там сепаратисты.

— Это опасно?

— Не знаю. Они обыскивают машины по дороге.

— Ты аккуратно.

— Да. Я знаю. Ты никуда не летишь в ближайшее время?

Нет, я никуда не лечу.

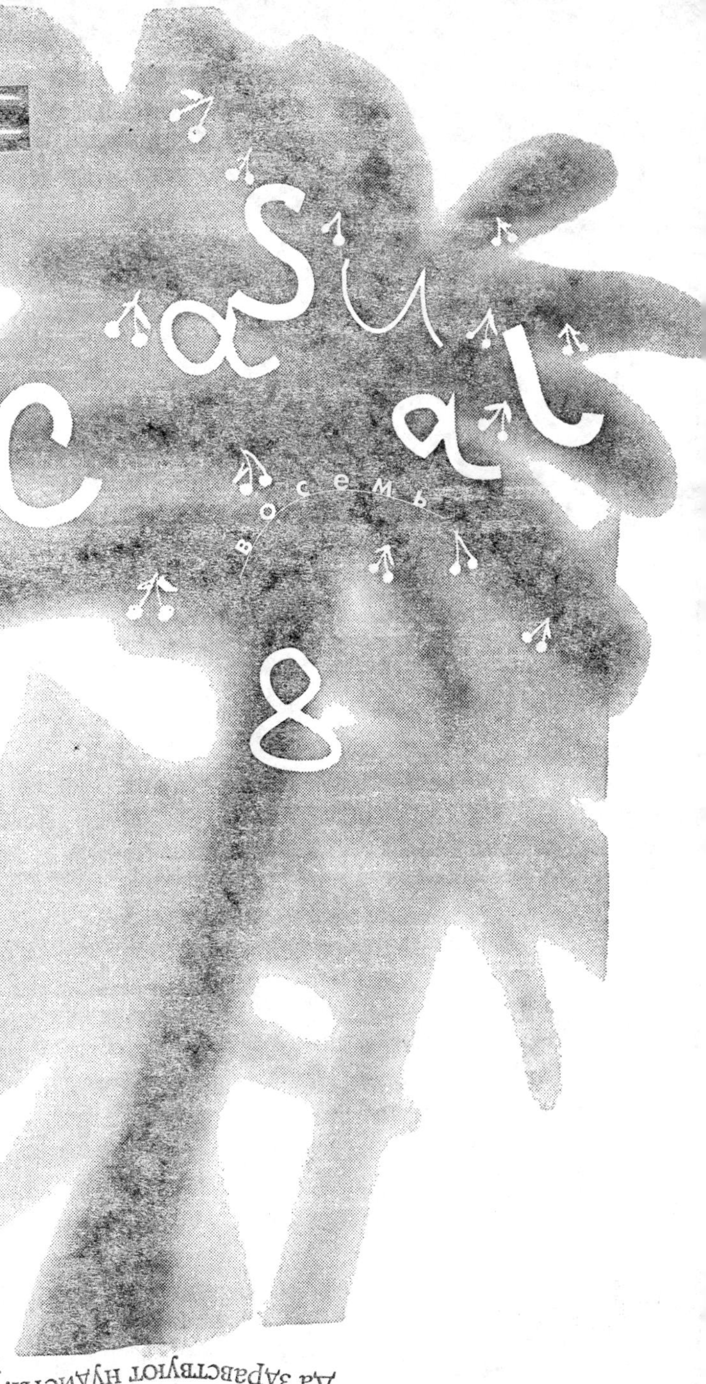


Да здравствуют нудисты!
И зажигательная испанская сальса!

— Ира, я ведь тебе говорила, что мне нужны каждый день чистые полотенца?

— А у вас какие? — Она сидела на диване и листала журналы. Считалось, что она разбирает их.

— А у меня просто глаженые. А мне нужны стираные.

— Ладно. — Ира пожала плечами. — На этой фотографии вы нормально получились. Вам надо улыбаться почаще. Как я.

— Хорошо. — Я искала зарядку от телефона.

— Да. Вот мой свадьбу отложил, а я — ничего, улыбаюсь, сижу, журнальчики рассматриваю. Сейчас еще свекольник готовить буду.

— Не надо.

— Почему не надо? Улыбка украшает человека.

— А может, тебе, наоборот, надо попробовать не улыбаться? Может, он тогда на тебе женится? Может, ему зубы твои не нравятся, а он тебе признаться боится? — Я наконец-то нашла зарядку. За телевизором.

— Он ничего не боится. — Она гордо встала. — Ему просто кое-какие дела закончить надо.

— Тебе тоже. Ты помнишь насчет полотенец?

Я подъехала к ИТАР-ТАСС. Online-конференция.

Жду на пропускной Сан Саныча.

Телефон зазвонил колокольным набатом.

Регина.

— Колонку написала? — кричит она. — Они меня убьют! С 6 утра звонят! Им журнал надо сдавать!

— Не написала, — вздохнула я.

— А чего? — тихо спросила Регина.

— Не знаю... Не смогла.

— Не пошло?— еще тише и очень сочувственно.

— Не-а...

— Ну и хрен с ними. Обойдутся один раз без твоей колонки. Все равно эти журналы никто не читает.

— Так они же место держат?

— Ну, да, держат.

— Они же не могут с пустой полосой...

— Рекламу поставят. Ничего страшного. Не переживай.

— А они уже проплатили?

— Ну, да. Ну и что? За следующую платить не будут...

Запорошенный снегом, переходил Садовое кольцо Сан Саныч. Ему со всех сторон сигналили машины, он отмахивался от них, как от назойливых мух, и упорно пробирался на эту сторону Садового.

— Ты весь в снегу, — удивилась я.

— Уникально: на той стороне идет снег, а здесь — нет.

— Прикольно.

На компьютере появляются вопросы, которые мне шлют читатели.

Я не набиваю сама ответы. Я их диктую.

Сан Саныч смотрит на второй монитор.

«Ваш любимый кинорежиссер?»

«Режиссер — не знаю. А кинопродюсер — Сережа Члиянц».

«Вы очень красивая. Наверное, вам помогают профессионалы. В какой салон вы ходите? Я бы тоже хотела ходить туда».

Очень люблю такие вопросы. Отличный повод пропиарить бизнес друзей.

«Тре жоли».

Леночка, не благодари.

«Вам не кажется, что шумиха вокруг вас не слишком естественна. Или вы считаете, что действительно сделали что-то выдающееся?»

Сан Саныч придвинулся к монитору, как будто бы страдал дальнозоркостью.

«Я ничего не делала для того, чтобы эту шумиху организовать. Люди пишут книги, поют песни, летают к звездам — делают то, что им нравится. А уж все остальные решают — выдающееся или нет. Если вы считаете: нет — ваше право. Я и сама не считаю, что сделала что-то особенное. Просто я рассказала то, что хотела рассказать».

«Спасибо за ответ. Просто моя жена — ваша поклонница. И я немного устал оттого, что дома разговоры только про вас».

Сан Саныч развалился на стуле, вытянув вперед длинные ноги в белых кроссовках.

«А вы не собираетесь снимать кино?»

«Не знаю. Пока я об этом не думала».

«Вы пишете стихи?»

«В детстве писала, сейчас — нет».

«А я пишу. Что мне с ними сделать?»

«Отправьте их в издательство. Адрес есть на сайте. Удачи вам!»

«Вы считаете себя красивой?»

«Хи-хи. Конечно. Самой красивой».

«А вам не кажется, что ваше лицо похоже на тыкву?»

Сан Саныч сделал из ладони пистолетик и выстрелил в экран указательным пальцем.

«А вы что, не любите тыкву?»

«Я вообще не люблю овощи».

— Ничего не диктуй! — громко сказал Сан Саныч и повернулся к администратору конференции. — Служба безопасности. В интересах нашей подопечной на эти вопросы буду отвечать я сам.

Администратор — пожилая женщина, не то чтобы равнодушная, но явно уставшая — вскинула на меня глаза.

Я кивнула.

«Давно это у вас?» — набивает на компьютере Сан Саныч.

Ответ приходит с небольшой паузой.

«Не так давно».

«Вам было бы интересно поговорить со мной? Встретиться?»

У Сан Саныча такое же лицо, как у моего папы, когда он играет в шахматы.

Ответа не последовало.

«Здравствуйте, мне 17 лет. Я закончила школу. Я бы очень хотела жить на Рублевке. Что вы мне посоветуете?»

— Он меня вычислил, — сказал Сан Саныч. — Возможно, мы имеем дело с профессионалом.

— Это ужас-ужас? Или просто ужас? — спросила я.

Сан Саныч улыбнулся, достал телефон.

— Хотя, может быть, он просто очень осторожен... Алло? Петь? Был контакт. Срочно вычисли терминал, с которого вышли на связь... Уже? Отлично... да... да... понял.

— Техника, мамаша. — Сан Саныч улыбнулся администраторше. Ей не очень понравилось слово «мамаша». — Интернет-кафе на Красносельской. Это удача! Во многих подобных заведениях установлены камеры видеонаблюдения. В рамках программы борьбы с терроризмом. Я с вами прощаюсь, мамочки.

«Я очень люблю ваши книги. И вы тоже мне очень нравитесь. Скажите, пожалуйста, а как бы мне познакомиться с богатым и умным мужчиной? Спасибо».

Позвонила Регина.

«Снежная Королева» отказалась от своего предложения.

— Почему? — не поняла я.

— Не знаю. С Орбакайте подписали.

— Не может быть! Ты уверена? Они, наверное, просто выпендриваются.

Я села в машину. У меня была назначена встреча с психологом Сан Саныча.

— Дорогая моя, я думаю, это ты выпендривалась. Слишком уж. А они сейчас крутые, у них такой бюджет!

— Бред какой-то! Ничего нельзя сделать?

— Я позвоню девчонкам в «Баркстел», поговорю.

— Что это?

— Агентство. Одно из самых продвинутых. «Снежная Королева» — их клиент.

— Поговори. Что за бред? Какая Орбакайте? У меня и так неприятностей хватает.

— Ладно, не волнуйся. Кстати, тему колонки оставили на следующий месяц. Так что ты уж их не подведи. А то, я думаю, они договор расторгнут.

— Ой, ну и пошли они...

Психолог все рассказала мне про шизофрению.

Ей нравилось подмигивать мне одним глазом. Правым.

И про фобии. Фобии делятся на простые, социальные и агорафобии.

Сказала это и подмигнула.

Я провела в ее кабинете два часа и вышла оттуда значительно спокойнее.

Я поняла, что не страдаю пениафобией — боязнью обнищания, но с детства подвержена педалофобии — боюсь стать лысой.

Когда я была маленькая, мама стригла меня как мальчика. Коротко. И меня называли мальчиком в автобусе.

А в младенчестве меня вообще побрили. Это самая нелюбимая моя фотография.

На ощупь лысые черепа похожи на животики лягушек.

Телефон почти что проквакал.

— Алло. — «Алло» явно из третьей группы. Сан Саныч.

— Мистика какая-то!

— Что случилось?

— К тому моменту, как мы подъехали к интернет-кафе, их затопила квартира сверху.

— И что?

— Как что? Записи пропали, аппаратура испорчена! Можно матом ругаться?

Тогда получается, что я просто лягушек не люблю. А это уже не педалофобия. А самая настоящая батрахофобия.

— Тебе можно. Думаешь, правда мистика?

— Да нет! Просто невезуха. Хотя теперь у нас есть предполагаемый район проживания твоего Садовника.

— Красносельская?

— Звонок во время передачи был из телефонного аппарата. С Новой Басманной. А это все рядом. У тебя, кстати, там никаких знакомых нет?

— Нет.

— Слушай, а с мужем твоим... Кто кого бросил?

Я завела машину. Тронулась.

— Я его.

— Серьезно?! — Сан Саныч оживился.

Включила фары. Зимой их можно вообще не выключать.

— Но он сам все сделал для того, чтобы я его бросила.

Только если поднимешься в небо, то увидишь, как танцуют звезды.

— Жалко.

— Почему?

— Был бы мотив. Он на Патриарших живет, тоже недалеко.

— Он овощи любит. На гриле. Особенно перец.

— Это не важно.

Перед Новым годом всегда пробки.

Почему есть «овощной» магазин и нет «фруктового»?

Я попросила Регину отменить интервью на радио.

Не хочу. Встречусь с Мариной в «Гостиной». Буду смотреть в окно и есть «макароны с потрошками».

А еще к чаю они дают безе. Сколько хочешь. Прямо в гигантской стеклянной вазе из-под цветов приносят.

— И вообще, — попросила я Регину, — отмени пока все намеченные встречи. Перенеси на после Нового года. А что со «Снежной Королевой»?

— Я позвонила в «Баркстел», Ксеньке с Тинкой, они орали как сумасшедшие. Сказали, что так себя не ведут. Что у тебя звездняк.

— Ну и ладно. Мне все равно некогда.

Марина развернула передо мной газету.

Желтуха, как она любит.

— Красиво? — Фотография Марины и ее продюсера. Заголовок «Василиса осталась с носом».

— Кто это придумал? Про Василису?

— Они! — обиделась Марина. — Я только им шепнула, где мы будем, чтобы они сфотографировали, и про предложение рассказала. На всякий случай. Чтобы не расслаблялся!

— Правильно.

— Нет-нет, я только чай! — сказала Марина официанту. И потом мне, заговорщицки: — В воскресенье следить поедем?

— А с чем вам чай? — Это официант.

— С безе. Ну, что ты думаешь?

— Не знаю, — я вздохнула. — Что будем на Новый год делать?

— Я со своим! — испуганно замахала руками Марина. — Василиса-то работает, всю ночь ездит по частникам — поет, если это можно так назвать. А мой ее не бросает. Так я в этом году ему жестко сказала: больше Новый год с подружками встречать не буду!

Пустая тарелка из-под макарон испарилась почти незаметно.

— И Регина со своим, — вздохнула я. — Она-то, наоборот, рада бы с подружками, да он не пускает.

— Ты его хоть видела?

— Чай? — поинтересовался официант. — Или кальянчик?

— Чай. Нет, не видела. Прячет.

— А Катька небось в стриптиз-клубе будет.

— Ага. И мне тоже безе принесите, пожалуйста.

Мужчина в джинсах и черной норковой курточке, явно нетрезвый, плюхнулся рядом со мной на стул и обратился к Марине:

— А вот вы лично кого из олигархов знаете?

Марина сделала надменное лицо. Тем самым давая понять молодому человеку в норке, что она лично знает всех, но с ним это обсуждать не намерена.

— Безе закончилось, — виновато улыбнулся официант. — Есть варенье.

— Какое? — расстроилась я.

— Упс! — сказал нетрезвый мужчина, повернувшись ко мне. — Здрасьте. Я очень извиняюсь. С друзьями кое-что отметили... Я с вашей подружкой хотел... Извините... — Он, шатаясь, встал. — Я вашу книжку читал... Девчонки! Все отлично!

И вышел.

— Варенье вкусное, — сказал официант. — Попробуете? Мы сами варим — из овощей.

— А почему вы мне варенье из овощей предлагаете? — уточнила я.

— Оно у нас вкусное, — растерялся официант.

— Дайте счет.

— А ничего мужик был, симпатичный, — сказала Марина. — Только несвежий очень.

Я позвонила мужу. Из туалета.

— Пригласи меня на ужин, — попросила я.

— На ужин? — удивился мой бывший.

— Ну да! — Я попыталась сказать это игриво.

— Ладно. Во сколько ты хочешь?

— Через час.

— Куда?

— В «Паризьен».

— Ты это имеешь.

— Okay.

Снова снег подло таял за шиворотом.

— Ты чего такая довольная? — поинтересовалась Марина.

— Так.... — Я улыбнулась.

— Твой позвонил?! — обрадовалась моя подруга.

— Да какой «мой»?! — возмутилась я. — Я тебя умоляю!.. У меня — свидание.

— С кем?

— Потом расскажу.

Есть уже не хотелось. Я заказала «Chassagne-Montrachet» 98 года от Olivier Lavaliere.

— Ничего себе, ты прибавила! — похвалил мой выбор супруг. Бывший.

Поговорили об Антоне.

— У тебя все нормально? — спросил муж.

— Да просто соскучилась.

— Соскучилась?

Я заглядывала ему в глаза и пыталась понять: производит ли это до сих пор впечатление или уже нет?

Производит.

— Не надо играть со мной в кошки-мышки, — улыбнулся он.

— Почему? — промяукала я.

— Потому что кошка — всегда я.

В ответ на мои улыбки он пару раз отводил взгляд.

— А ты когда-нибудь жалел, что мы расстались?

Он усмехнулся.

— Ну, ты-то точно не жалела.

— Почему ты так думаешь? — Я пью вино, полуприкрыв глаза. Когда мы познакомились, эта моя манера умиляла его.

— Если бы мы не развелись, ты бы книжку не написала, не стала бы звездой...

— А может, я не хотела?

А если снять туфлю и дотронуться до него ногой? Как в кино?

— Хотела, хотела. Именно этого ты всегда и хотела.

Но я в сапогах.

— Стать звездой?

— Ну... написать... или кино снять... Или еще что-нибудь. Лишь бы дома не сидеть.

— А ты хотел, чтобы я сидела дома?

— Как любой нормальный мужик.

Звонок от моей юристки.

— Привет, — говорит она.

— Привет, — говорю я очень по-деловому. Перед мужем. — Как он?

Имею в виду ее собак. У нее их четыре. И обязательно надо спрашивать про их здоровье. Потому что один из них всегда болел.

— Тося? Нормально, ранка заживает. Не представляю, где он подхватил этого клеща.

— А...

— Что договор? Подписываем? Мы все формальности утрясли. Я правильно поняла: аванс миллион? Фу, фу, Боря, фу!

— Да. Миллион. — Небрежный взгляд в сторону мужа. — Что там у тебя?

— Боря чуть рассаду не сожрал, у меня мама помидоры высадила...

— Подписываем. Пока.

Мой муж поднял бокал.

— Ты, кстати, и все вопросы с моей сексуальной жизнью решила, — улыбнулся он.

— В смысле?

— Каждая девушка, узнав о том, что я твой бывший муж, считает своим долгом переспать со мной!

— Ну, я думаю, у тебя с этим и без меня проблем не было. — Мне кто-то кивнул, я кивнула в ответ. Не узнаю. Кто это?

Мне надо переспать с моим бывшим мужем. Просто необходимо.

— Ну... — протянул он.

— Красивая рубашка, — похвалила я. — Тебе идет.

Когда-то рубашки ему покупала я. А он приставал ко мне каждое утро: «Хорошо с этим костюмом? А с этим галстуком?» Может быть, когда-нибудь в старости мы будем снова вместе? Совсем в старости.

— Спасибо.

— Это я приучила тебя к ярким цветам.

— Да ладно! Я всегда носил!..

— Нет, — я покачала головой. — Ты помнишь, как в Париже я заставляла тебя купить розовый свитер?

— Да это я его выбрал!

— Ну, конечно... Здорово было...

— Да. Ты отравилась устрицей.

— И блевала в туалете.

— Действительно здорово.

— Как приятно вас снова видеть вместе! — воскликнула девушка с бровями, похожими на кардиограмму.

Она была известна тем, что продавала женам новоиспеченных банкиров левые сумки «Birkin». Недавно об этом стало известно. Всем сразу. Что они левые.

— Вы самая красивая пара в Москве, я всегда это говорила! Анжелина с Питом отдыхают!

Кто-то позвонил и молчал. Как мы и договорились с Сан Санычем, я скинула SMS-кой определившийся номер.

— За что выпьем? — спросил он.

— За нас, — улыбнулась я.

Он вызвался меня проводить.

Мы ехали в моей машине, его водитель за нами.

— Зайдешь? — спросила я у калитки.

— Антошка спит?

— Спит. Пойдем, чайку попьем. На десять минут.

Мне показалось, что я уже слышала эту фразу. Наверное, раньше так говорили мне.

Точно. И никогда дело не доходило до чая.

Он по-хозяйски прошел в столовую.

— Давно я тут не был... — вздохнул он, и я неожиданно обняла его за шею. И поцеловала в губы.

— Ты уверена? — прошептал он.

Почему-то мне показалось, что я должна повалить его на пол прямо в столовой.

— Сумасшедшая, Антон же дома, — прошептал он и довольно банально потянул меня в спальню.

В мою спальню.

Которая только-только начала отвыкать от супружеского секса. И поэтому восприняла его буднично, без особых эмоций.

Я принесла ему его одежду.

— Не надо, чтобы Антошка тебя видел, — сказала я.

Он кивнул. Обнял меня и не отпускал несколько минут. А я не вырывалась. Мы могли так заснуть, стоя.

Он уже разомкнул руки, а я еще льнула к нему. В последний раз, перед старостью.

Я вышла вместе с ним во двор.

— Очень сексуально, — похвалил он: я завернула свое голое тело в шубу.

Мой бывший муж уехал.

Я постояла еще немного и, достав из кармана телефон (он так и лежал там с ужина), позвонила Черновым.

Ответила заспанная домработница.

Я попросила разбудить черновского сына. Если он, конечно, уже дома...

— Скажите ему, очень надо. Только родителей не будите.

— Алле, — хрипло произнес он в трубку минут через пять.

— Привет, это я. Извини, что разбудила, покурить есть? Очень хочется.

— Есть...

— Сейчас зайду.

— Ладно.

Бывает, что хочется смотреть в небо и слушать музыку других планет.

Бывает, что хочется послать SMS. Так хочется, что ты аж подпрыгиваешь от желания! Так хочется, что даже руки немножко дрожат!

«Я только что переспала с другим мужчиной».

Отослано.

Я обещала тебе не писать SMS? Тем неожиданней оно для тебя будет!

Солнце жирно блестело, словно вымазанное в масле.

По обочинам дороги толпились пальмы.

Улицы рвались, совсем как мысли, к морю.

Счастье!

Я шла и хохотала. Я распахнула шубу и выяснила, что забыла надеть купальник.

Да здравствуют нудисты!

И зажигательная испанская сальса!

Это зазвонил мой телефон.

Я закуталась в шубу.

Он? Получил мое SMS?

Какой-то чужой номер.

Уличный фонарь освещал верхушки сосен, словно кто-то собирался их сфотографировать.

Маньяк? Маньяк-садовник.

— Алло, — сказала я, и мой голос разнесся по ночному поселку.

— Катя разбилась. Она в больнице, — глухо сказал мужской голос.

— Это кто? — спросила я.

— Как... это... — голос начал растерянно заикаться.

— Ах да, привет!

Это Катин стриптизер.

Катя в больнице. Перелом ключицы, ноги, сотрясение мозга. Она врезалась в машину. Пьяная.

— Сейчас приеду, — сказала я и пошла одеваться.

Врачи — странные люди. Они меня не узнавали. Хорошо, им про меня медсестры рассказывали. А то не видать бы Кате отдельной палаты. В Склифосовского.

— А когда ее в ЦКБ можно перевести?

— Да когда хотите, — пожимает плечами доктор.

В коридорах спят забинтованные больные. От них пахнет кровью, по́том и улицей. Все вместе эти запахи вызывают у меня брезгливый ужас.

Катя спит, обколотая успокоительными.

Ее молодой человек остается с ней.

Я представляю себя в гипсе, с подбитым глазом, а рядом на кровати сидит Александр. В стакане на тумбочке тюльпаны; палата двухместная.

Не в смысле двухкомнатная, а просто две железные кровати.

Рублевку чистят от снега, я медленно тащусь за технологическим чудом. За мной сонно едет моя охрана.

Конечно, Алик не знал, что я полночи провела у Кати в больнице. Иначе бы не позвонил так рано.

Соображаю, какое сегодня число. У знакомой Черновой в Канкуне яхта, я договорилась, что они захватят Алика с собой. Надеюсь, он уже там.

— Я в Паленке! — кричит он в трубку. — Я купил тебе подарок!

— Да? — бормочу я спросонья. — Спасибо. А какой?

— Деревянная фигурка! Сепаратист! С автоматом, в национальной одежде! Прелесть.

— Здорово!

— Я буду пробираться в Канкун!

— Но только поторопись. Яхта от Косумеля скоро отшвартовывает в Танжер.

Я действительно послала вчера SMS? Или мне это приснилось?

— На местном автобусе опасно, а туристический делает крюк, сначала в Кампече, а потом в Мериду.

Нет, я не могла это сделать.

— Поторопись, ладно?

— Ладно. Ты никуда не собираешься лететь в ближайшее время?

Перечитала SMS. Ужас. Позор. Нельзя его вытащить оттуда? Может, еще не дошло?

Дошло.

надо прийти на какой-нибудь

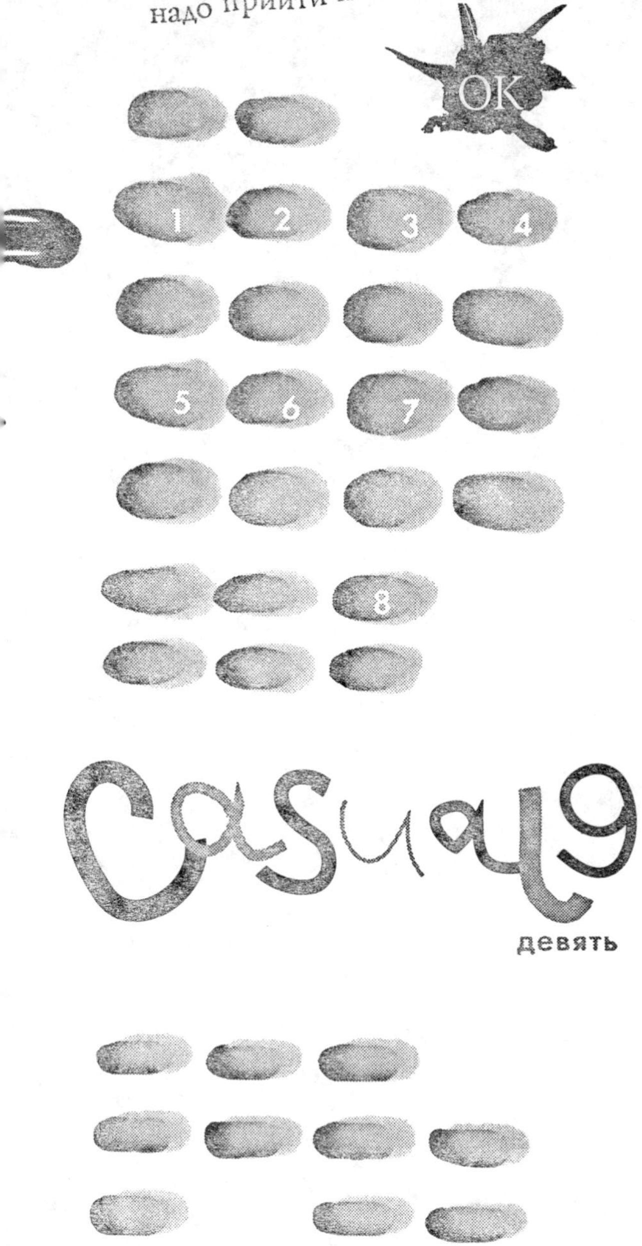


не самый главный канал

и на не самую рейтинговую передачу.

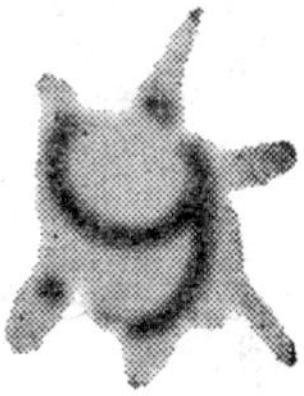

Самый благородный дар богов человечеству — то, что оно не научилось возвращать свое прошлое. Иначе люди не доживали бы и до 7 лет.

Забрала Антона из садика.

— Пойдем в кино? — предложил он.

— Давай. — Он сидел на заднем сиденье, и я смотрела на него в зеркало.

Позвонил мой бывший муж.

— Привет, — сказала я.

— Привет. Как дела?

— Ничего. Едем с Антоном в кино.

— Да? Может, я потом подъеду? Поужинаем?

— Не знаю... — Я растерялась. — У меня потом встреча.

— А... Понял. А после встречи?

— Боюсь, она надолго затянется, и еще столько всего...

— А что это было: вчера?

— А что?

— Ладно, пока.

— Папа? — спросил Антон.

Дети все чувствуют и все понимают. Наверное, лучше нас.

— Я, кажется, влюбилась, — сказала я сыну.

— В папу?

— Нет.

— А...

В кинотеатре, в соседнем зале, проходила премьера какого-то фильма.

К нам подбежала журналистка с фотоаппаратом.

— Не снимайте ребенка! — закричала я грубо, потащила Антона за руку.

Правило № 3. Пресса не должна знать про вашего маньяка, а маньяк — про ваших детей.

Кино было скучное. Американское. Мальчик с девочкой дружили, а потом девочка умерла.

На этом моменте я сказала сыну, что у меня разболелся живот, и увела его из зала.

— Она умерла? — спросил он в машине, доедая попкорн.

— Нет. Они сначала подумали, что она умерла, а потом оказалось, что нет.

— А почему мы ушли?

— Я же тебе сказала: у меня живот! Так болит!

— Но ты могла меня в зале оставить.

— А как бы ты поехал домой?

— С охранниками.

— А вот если бы у тебя заболел живот, я бы не бросила тебя. И не уехала бы одна.

Молчание.

— Мы пойдем еще раз на этот фильм? Я хочу досмотреть! Как он назывался?

— Мост через что-то там. Конечно, пойдем.

— Но ты уверена, что она не умерла?

— Уверена.

— Люди ведь не умирают? Они становятся ангелами.

— Кто тебе это сказал?

— Няня.

— Все правильно.

— А бабушка говорит, что ты ее в гроб загонишь. Это значит, она умрет?

— Не знаю. Это только бабушка знает.

Я остановилась на светофоре.

— Значит, бабушка не хочет становиться ангелом?

— Сто процентов, не хочет.

Я валялась в гостиной и смотрела телевизор. То есть я просто смотрела вперед, и с периодичностью одна картинка в секунду передо мной менялось изображение. С первого по двадцать шестой и обратно по кругу.

Регина отменила все мои встречи.

Делать было совершенно нечего. Я лежала и бездумно щелкала пультом телевизора. Как овощ.

Кто-то позвонил и молчал.

— Алло? Сан Саныч, запиши телефон... Да, определился... Ничего не сказал... Я не грустная, я нормальная... Думаешь, это он?

Беру лист бумаги, ручку.

Колонка. «Как пережить развод и остаться друзьями?»

Написать про вчерашний секс? Вряд ли это называется дружбой.

По-честному сижу час перед белым листом. Снова телефон. Какой-то унылый напев.

Юристка.

Не спрашиваю про собак. Что будет? Если не делать то, чего не хочется?

— Договор в понедельник? Устроит? — Ее голос удивленный и немного обиженный. — Подписываем? Они вызывают бронированную машину для денег и спрашивают, в какой банк везти.

— Подожди, — говорю я.

Пять книжек ведь еще надо написать.

Почему-то эта мысль первый раз приходит мне в голову.

А если я не смогу?

Может, я написала книжку, и все. Больше не напишу.

Стану снова домохозяйкой. Вернусь к мужу.

Не вернусь.

Поняла сегодня ночью — не вернусь.

— Подожди подписывать, — устало вздыхаю я.

— Я бы на твоем месте долго не тянула... — предупреждает юристка.

— А как там твой? — спрашиваю. Совсем нетрудно сделать человеку приятное. Даже если не хочется.

— Боря? Подрался. Ухо зашивали.

Я бродила по дому.

Антон ушел с няней гулять.

По телевизору лидер какой-то фракции говорил о том, что он как садовник, который знает, когда удобрять, а когда собирать урожай. Всему свое время, вещал он, я не призываю к терпению, я взываю к разуму.

Позвонила Сан Санычу. Рассказала про садовника из телевизора.

— Ты, наверное, с ума сошла, — посочувствовал он, — но мы проверим. Кстати, вчера тебе звонили из центра. Странно, район поменялся. Но мы проследили звонок. У нас будет точный адрес.

Заставила себя встать и поехать к Кате. Она плакала. Водитель машины, в которую она врезалась, — в реанимации.

— Отлично выглядишь, — сказала я. — Похудела.

Я привезла деньги. Надо было сделать так, чтобы в милицейских протоколах не значилось, что Катя была пьяна во время аварии.

«Говорили же тебе: не пей, раз ты за рулем», — мысленно произносила я, изо всех сил сдерживаясь, чтобы не сказать это вслух. Глупо.

— Все будет хорошо. — Я держала подругу за руку, стараясь не глядеть на ее загипсованную ногу.

За другую руку Катю держал стриптизер.

На работу ему нужно было только ночью.

Мой маньяк позвонил еще раз, когда показывали «Что хуже?». Причем перед передачей я впервые в жизни обзвонила знакомых и предупредила, чтобы смотрели.

— Соскучилась? — сказал мужской голос в трубку, и я сразу узнала его.

Я швырнула телефон в угол. Сан Саныч сказал: пусть говорит.

Я мысленно закричала.

Я кричала так громко, что пришлось руками закрыть себе уши.

Утром я проснулась и позвонила юристке.

— Как он? — И, не дожидаясь ответа: — У тебя есть перед глазами мой договор с телевидением?

— Сейчас включу компьютер. Включила.

— Что мне будет, если я сорву съемки?

— Так... так... так... В размере 50 минимальных... моральный ущерб... Кто тебя просил без меня подписывать?

— Ну, что?

— Тыщ пятьдесят могут по суду потребовать.

— Ладно.

Когда он меня видит по телевизору, у него обострение.

Я не хочу никаких его обострений. Тем более что впереди еще 5 отснятых эфиров.

Гуля сидела в гримерке. Красилась.

Я мыла голову.

— Давай сегодня желтое платье наденем? — предложила Наташа.

Я кивнула.

— А Гуля — зеленое.

Что хуже: желтое платье или зеленое?

Наташа вытянула мне волосы утюгом.

— Была вчера на показе «Mercury»? — спросила Гуля, стараясь не шевелить губами: их красили.

— Нет.

— Зря. Вся Москва была. Журналистов — полным-полно.

Что хуже: когда вся Москва была или когда журналистов полным-полно?

— Реснички приклеем? — спрашивает Наташа.

Телефон. Номер не определен.

— Алло. — Машу рукой, что не нужны мне эти ресницы.

Маньяк.

— Что, ребенок до садика дошел?

Падает стул, я выбегаю в коридор, я ору:

— Алло! Алло!

Я набираю домашний номер, не переставая кричать: «Алло!», «Алло!».

Антон берет трубку.

— Ты дома? — ору я. — Все нормально?

— Я заболел.

— Что?

— Я заболел.

— Ты не пошел в садик?

— Нет, няня сказала не ходить. Мы как раз собирались тебе звонить.

Сан Саныч говорит, чтобы я успокоилась.

Они усилят охрану.

Пусть ребенок не ходит в сад.

Я никому ничего не должна говорить.

— Он ошибется. Он обязательно ошибется. И тогда мы его возьмем.

Возвращаюсь в гримерку.

— Слушай, отработай без меня, — прошу Гулю.

Конечно, она должна обрадоваться: одно дело — две ведущие, и совсем другое — один.

— Почему это? — Гуля подозрительно разглядывает меня.

— Голова болит. Очень.

— Ты с ума сошла? — подлетела администратор. — Я тебе таблетку куплю! Я тебе целую аптеку куплю! Даже не думай!

— Я ухожу. Извини. Правда, очень плохо себя чувствую.

— Ты не можешь так со мной поступить! — слышу крик вслед. И совсем тихо: — Вот сука!

Попросила маму срочно приехать.

Она вошла в дом раздраженная, потому что пришлось отменить гостей.

— Я как прислуга, — возмутилась мама, — по вызову!

Я пожалела, что позвонила ей.

Приехал Сан Саныч. Мы встретились у Черновых.

— Звонок был из метро. Из будки. По телефонной карточке.

— Метро?

— Да. «Красные ворота». И даже камеры там есть. Только запись хранится 36 часов. Мы опоздали.

Из кухни, которая отделялась от гостиной открытой аркой, донеслось громыхание падающих кастрюль.

— Мой сынуля проснулся, — сказала Чернова и выразительно посмотрела на свои часы. Золото отлично смотрелось на ее смуглой руке.

Во дворе зажгли фонари.

— Где твои подружки были в это время? — Сан Саныч положил в кофе четвертую ложку сахара.

— Ты не размешиваешь? — поинтересовалась Чернова.

— А при чем тут мои подружки?

— Не знаю, может быть, и при чем. — Он демонстративно позвякивал ложечкой в чашке. — Мне надо перед шефом отчитаться, что дело твое закрыто.

— Да, да, — кивнула Чернова. — Сергей Александрович не очень доволен тем, как развиваются события.

В разговоре с сотрудниками своего мужа Чернова всегда называла его по имени-отчеству.

— Катька пила где-то... — вспоминала я.

— Пила! — подхватил Сан Саныч. — А в каком районе?

— Не знаю.

— Я думаю, надо искать среди девиц. И не обязательно, что они должны быть какими-то неуспешными... Вообще не важно. Она может казаться королевой и при этом так тебе завидовать! А в глаза улыбаться.

— Катя не кажется королевой, — вздохнула я, — а после развода и успешной тоже.

— Вот! — обрадовался Сан Саныч. — Кто был никем, тот станет кем угодно!

— Только не Катя, — вступилась за подругу Чернова.

— Ну, это уже не просто подозрительность, а панофобия — боязнь всего на свете, — мрачно констатировала я.

— И не Марина Сми. Конфеты будете?

— Не ем сладкого, — отказался Сан Саныч.

— Не, не Марина, — согласилась я.

— Девушки, ну вот откуда вы знаете?! Кстати, у нее ребенок есть? Там ведь должен быть ребенок.

— Ты что, думаешь, Катя заставляла свою дочку звонить мне с угрозами? Да я бы ее узнала!

— А Регина? — интересуется Сан Саныч.

— Ну, она, конечно, сумасшедшая, но... — вздыхаю я.

— Но не шизофреничка! — резюмирует Чернова.

Я снова лежала дома перед телевизором и делила своих знакомых на овощи и фрукты.

Вот, например, Регина — чистый фрукт. Да еще экзотический какой-то.

Марина Сми... Тоже фрукт. Какой-нибудь такой, про который думаешь: наверное, овощ. А оказывается, фрукт.

Катя. Овощ.

Я вспомнила Катю и улыбнулась. Нет, какой овощ! Катя — тот еще фрукт!

Меня окружают одни фрукты. О чем это говорит? Никакой я не овощ.

Протяжной испанской песней зазвонил мой телефон.

Алик.

— Я в Канкуне! — кричал Алик. — Потрясающе! Я задержусь тут на пару дней!

— Тебя яхта не дождется!

— Всего пару дней!

— Алик! У тебя ностомания, — вздохнула я.

— Что? — не понял Алик.

— Ностомания. Навязчивое желание возвращения на родину. А еще аэрофобия. Боязнь самолетов.

— Ты никуда не летишь в ближайшее время? — обиделся мой лучший друг.

Людям нужно объяснять, чем они больны?

— Регина?

— Да, моя дорогая. Как ты?

— А как я? — Наверное, в моем голосе было раздражение.

— Мне кажется, ты переработала. В последнее время ты какая-то нервная.

— Нормальная. Какие у нас дела?

К Антону приехал доктор.

— Ты имеешь в виду журналистов?

— Ну, да! — раздражаюсь я еще больше.

— Так... Да ты знаешь, какое-то затишье...

— Назначь мне съемку. Я могу завтра.

— Завтра? А у меня ничего нет... Радио вот только. Они уже давно добиваются...

— Я посмотрел Антона, — сказал доктор.

Я встала с дивана, приветливо улыбаясь доктору и договаривая с Региной.

— Интервью нет?

Доктор нетерпеливо улыбается мне.

— Нет, — радуется Регина, — можешь отдыхать!

— Что, совсем ничего нет? — не верю я.

— Ну да... — в трубке шуршание тетрадки, — колонку напиши. Помнишь тему: «Как пережить развод и...

— Помню. Пока.

— Абсолютно здоровый ребенок, — говорит доктор. — А по утрам у детей бывает кашель. Я уже говорил это вашей няне. А она все паникует.

Доктор уехал, столкнувшись в дверях с Ирой.

Я помахала рукой маме и Антону.

Мама — фрукт.

Еду на Пречистенку, в «Персонал-Бутик» — агентство, которое всегда подбирает мне нянь.

— Что? — пугается хозяйка агентства. У нее улыбка как у кошки. Кошки улыбаются глазами.

— Хочу поменять.

— А что случилось?

— Да она какая-то ни рыба ни мясо, знаешь... овощ прям!

Точно — овощ.

— Подождешь немного? — улыбается хозяйка. Глазами. — А то у меня сейчас фрукт один приедет. Такой фрукт!..

Зашел полный кудрявый мужчина с выражением лица то ли лукавым, то ли детским. Он держал за руку маленького мальчика. Кудрявого, с большими и очень серьезными глазами.

Мы поздоровались. Вежливо.

По одной стали заходить потенциальные няни.

Мужчина листал «Hello!». С моей фотографией на обложке.

Няни рассказывали о себе.

Ребенок задавал им вопросы.

— А вы что на обед готовите? — спрашивал он у очередной соискательницы.

— Да что хочешь... — терялась няня.

— А если я ничего не хочу?

— Ну... — няня смущенно улыбалась, ребенок отрицательно качал головой.

Заходила следующая.

Позвонил мой муж.

— Что случилось с Антоном? — спросил он. — Почему он не пошел в садик?

— А ты откуда знаешь? — Я уселась, поджав ноги, в уютное кресло в коридоре. Напротив, почти живой очередью, трепетали няни.

Я приметила одну. В черных туфлях на каблуке. Остальные были в сапогах. Она принесла с собой на собеседование сменную обувь.

— Доктор позвонил! — ответил мой муж.

— Вот знаешь, что у тебя? — спросила я. — У тебя пениафобия. Вот ты всю жизнь боялся потерять деньги и поэтому теперь потерял их!

Надо же, сколько названий я запомнила!

— С чего ты взяла, что я их всю жизнь потерять боялся? — ледяным голосом поинтересовался мой бывший муж.

— Так я же с тобой сколько лет прожила!.. А тебе надо было бояться потерять меня! Ты приоритеты неправильно расставлял!

— А тебе чего надо было бояться? — мрачно поинтересовался он.

— Мне?.. — Я запнулась. — Ничего! Я — в порядке! В абсолютном! Ты понял?

— Я понял. Пока.

Подошла очередь няни на каблуках. Вместе с ней захожу в кабинет.

Отец кудрявого мальчика увлечен статьей в журнале. Видимо, это была идея матери — отправить в агентство ребенка.

— Что вы мне приготовите на ужин? — допрашивает ребенок.

— На ужин? — улыбнулась няня и хитро сощурила глаза. — А это секрет!

— Как секрет? Я хочу знать! — Он даже топнул ногой.

— Вот так, — улыбнулась она заговорщицки. — Секрет! И получишь ты его на ужин только тогда, когда помоешь руки, — она начала загибать пальцы,— три раза обернешься вокруг оси, два раза прокукарекаешь...

Отец поднял глаза от журнала.

— Я не умею кукарекать, — сказал ребенок.

— А ты попробуй!

— Ку-кареку, — тихо произнес он.

— Неплохо.

Я кивнула хозяйке. Она сделала знак, что поняла меня.

Я вышла.

Катина нога была все так же подвешена, стриптизер все так же сидел рядом.

— Отлично выглядишь! — воскликнула я.

Стриптизер посмотрел на меня с благодарностью.

Зря я никогда в эти клубы не ходила.

— А ты как? — спросила Катя. Медленно. В больницах останавливается время.

— Так... дома... — в тон ей ответила я.

— Помнишь, как в «Тристане» у Бунюэля? — оживилась Катя. — «Девушка остается порядочной только тогда, когда она сидит дома. Или если у нее сломана нога».

Я улыбнулась. У Кати — дисмарфофобия. Это когда малейший недостаток внешности становится трагедией.

— Да... — Я вздохнула.

— Как твой роман? — спросила моя подруга.

— Какой? — преувеличенно удивилась я.

Катя кивнула и промолчала.

— Чернова утром была. С апельсинами. У нее сынуля влюбился.

— В который раз!

У Черновой — клептомания. Она пепельницы ворует. Хотя вполне может себе позволить их купить.

Я отправила маму домой.

С моим охранником.

До этого они дома посмотрели кино «Мост через что-то там». Антон попросил маму привезти диск, и она привезла.

— А девочка умерла, — сказал мне мой сын с упреком.

— Да? — растерялась я. И посмотрела на маму.

— Потому что не надо одним шастать по лесу! — прокомментировала она.

— Это просто первая серия, — сказала я. — А есть еще и вторая. И там она жива. У них такие приключения! Мы с тобой обязательно посмотрим!

— Такое впечатление, что это я снимаю фильмы, — пробурчала мама под нос и уехала, не попрощавшись.

Из агентства «Персонал-Бутик» позвонили, сказали, что ребенок выбрал мою няню. Со сменной обувью.

— Но вы не волнуйтесь. Как показывает практика, больше месяца она там не продержится.

— Ты умеешь кукарекать? — спросила я у Антона.

— Ку-ка-ре-ку! — завопил мой сын.

— А если бы ты сам себе няню выбирал, ты бы ее о чем спросил?

Он задумался.

— Чем она будет меня кормить. Просто я ем одни макароны, — объяснил Антон.

И закатил истерику из-за того, что не пойдет завтра в сад.

Утром повезла его в сад. С машиной охраны. И еще одной, которая останется там.

Терпеливо ждала, пока мой сын снимал одежду и складывал ее в шкафчик.

— А почему у тебя тут картофелина нарисована?

— Потому что это мой шкаф, — гордо сказал Антон.

— А вот этот, с вишенкой, он пустой?

— Он моего друга Пети Платочкина.

— А другого нет? — спрашиваю я воспитательницу.

— А что вам не нравится? — улыбается она.

— Мне не нравится эта картошка! — почти кричу я.

Мама большеглазой девочки в колготках удивленно оглядывается на меня.

— Давайте посмотрим, какой есть свободный шкафчик, — пугается воспитательница.

— А я хочу с картошкой! — заявляет Антон.

— Вот этот, с ананасом? — Я резко открываю дверцу. Шкаф пуст.

— Пожалуйста! — соглашается воспитательница.

— А я хочу с картошкой! — упрямо повторяет Антон.

Когда он был совсем крохотный, я учила его нянечек: если мальчик очень сильно на чем-то настаивает, нужно ему уступить. У него должна быть нормальная самооценка.

— Перекладывай вещи! — командую я. — Быстро! Ты слышишь, что я тебе сказала? Быстро!

Он почти плачет. Ставит сапоги в пустой ящик.

Я лучезарно всем улыбаюсь.

Давно меня не фотографировали.

Звонок. Незнакомый номер. Молчание.

Испуганно вешаю трубку.

— Сан Саныч? Опять. Сейчас пошлю тебе номер... Нет, просто молчали.

Он рассказывает о том, что они внедрили в московскую тусовку своих людей. Чтобы послушать, чего говорят. Мало ли...

— Ну, так вот. Хотел предупредить тебя: твоя подружка Гуля на каждом шагу рассказывает, что ты приезжаешь на съемку обдолбанная кокаином настолько, что даже на площадку не можешь выйти.

— У меня же аллергия.

— Шоу-бизнес. Ничего личного.

— Вот сука.

Чистый овощ.

Соглашаюсь дать интервью для радио.

— Как вы собираетесь праздновать Новый год?

Мы сидим на Рублевке, в ресторане «Mario». Журналистка держит в руках микрофон. «Love Radio».

— О! — Я довольно улыбаюсь. — Молодой человек, который сейчас за мной ухаживает, пригласил меня на романтический ужин.

— И что это за ужин? — радуется журналистка. — Вы будете вдвоем? Или в компании?

— Мы будем вдвоем! — фантазирую на ходу. Официант заинтересованно слушает. — Подробностей я не знаю. Но он даст мне знак. Я должна увидеть что-то такое, что будет его посланием.

— Надо же, как романтично! — ахает журналистка. Ей лет двадцать.

Мне самой понравилось.

— А вы давно встречаетесь?

Отвечаю загадочно:

— Не так давно...

— Он — олигарх?

— Что вы спросили? Олигофрен?

— Нет! — она машет руками. — Олигарх?

— Он самый лучший мужчина на свете! Самый красивый, самый сильный и самый умный. И еще, знаете что?

— Что? — Она не сводит с меня зачарованного взгляда.

— Мне никогда с ним не скучно. Вчера он притащил домой крокодила.

— Как? — журналистка ахает вместе с официантом.

— Так... — я небрежно махнула рукой. Сама себе я напоминала попугая Кешу из мультфильма: «Вы не были на Таити?». — Зеленый такой... во-о-от с такими выпученными глазами.

— И что же?

— Да так, ничего... Поиграли с ним и в зоопарк отдали.

— Надо же... — умиляется журналистка.

Официант смотрит с недоверием.

Регина уезжает на Новый год. Со своим. В Юрмалу.

— Юрмала — потрясающее место! — возбужденно говорит она. — Можно я оставлю адрес твоей мамы, чтобы было куда слать присылки? А то они за город не доставляют!

— И не надо, чтобы у всех был мой адрес! Пусть маме шлют.

— А телефон... Сейчас уже почти никто не звонит!

Я молчу.

— Но, если что, я тебе дам знать.

— Оставь телефон мне.

— Сама будешь отвечать? Ладно.

Радостный Сан Саныч.

— Засекли номер! Из ресторана звонил. Из «Аиста»! Мы быстро туда, получим словесный портрет! Будь на связи!

Даже не сразу поняла, почему мне так хорошо дома.

Поняла.

Иры нет.

Перерываю огромное количество разнообразных записных книжек в поисках ее телефона.

Не нахожу ни ее телефона, ни телефона моей бывшей домработницы, которая мне ее порекомендовала.

Сан Саныч был озадачен.

— Плохие новости, — сказал он в трубку, — мы получили словесный портрет мужчины, который в «Аисте» просил телефон — позвонить. В общем, это было нетрудно сделать.

— И что? — Даже мои мысли затаились.

— Это довольно известный человек.

— Кто? — прошептала я.

— Ты только не пугайся... но это был твой телеведущий.

— Да ладно! — Я обрадовалась.

— А что веселого-то? — не понял Сан Саныч.

— Да он, наверное, так просто звонил... — я улыбнулась и трубке, и Сан Санычу, — голос мой послушать... Мы же в ссоре.

Сан Саныч молчал.

Я ликовала.

— Не думаю, — наконец сказал он.

— А ты думай! Не одни только маньяки кругом!

— Не одни... — вздохнул Сан Саныч грустно, — есть еще шизофреники. В данном случае психологический портрет довольно прост: амбициозный рейтинговый телеведущий вдруг оказывается за бортом, а тут откуда ни возьмись богатая избалованная девица не слезает с первых полос газет.

Приятно.

Может, мне только кажется, что они перестали названивать, эти журналисты?

— Мы присмотрим за ним, — решает Сан Саныч.

Давай. Я представила себе Александра, который тихо обедает в «Аисте», а со всех сторон (из-под стола тоже) на него направлены видеокамеры.

Можно потом продать на «Муз-ТВ» в качестве реалити-шоу.

А если он будет себя хорошо вести, то я ему шепну: «Вас снимает скрытая камера», — и тогда он прикинется сумасшедшим маньяком. Аналогом американского психопата. С бензопилой.

Рейтинг обеспечен! Он же наверняка с тоской вспоминает о былой славе?

Или об этом можно легко забыть?

Смешно, если он будет гоняться с бензопилой за Сан Санычем.

И случайно разрежет пополам девушку с химией.

Что хуже: разрезать ее пополам или на три части?

Я вспоминаю, как сказала «алло», когда он позвонил. И молчал. И слушал мой голос. А я сказала «алло» так... равнодушно, у меня было плохое настроение.

— Алло, — говорю я в трубку эротично, с придыханием.

Это Ира. Она заболела.

— Выздоравливай, — советую я разочарованно.

Даю себе слово: не выйду из дома, пока не напишу колонку.

Или пока мне опять не начнут каждую секунду звонить из журналов.

Пересмотрела все фильмы братьев Коэн, какие только были у меня дома.

Журналисты не звонили.

Вдохновение не посещало.

На третий день начала плакать. Лежала перед телевизором и плакала.

— Пусть бабушка приедет, — попросил Антон, — а то ты со мной не играешь.

— Я работаю, — сказала я. И поуютнее завернулась в плед.

Антон сочувственно кивнул.

Я предложила ему самому позвонить бабушке.

— Бабушка сказала, что она не может, — удивился мой сын. — Ей какое-то приглашение пришло, и она собирается.

Звоню маме.

— Такое красивое приглашение! — она радостно возбуждена. — Вечеринка «Playboy»! С фуршетом!

— Ты собираешься на вечеринку «Playboy»? — уточнила я.

Регина же меня предупреждала, что мои пригласилки будут слать маме.

— Да, собираюсь! У меня тут еще полно пригласительных!

— Но ты понимаешь, что там все будут в розовых купальниках, с заячьими хвостиками и ушками? — тактично пытаюсь объяснить маме, что такое «Playboy».

Мама озадачена:

— Так что же мне лучше надеть?

— Не важно, — говорю я и вешаю трубку.

— Я не буду мешать тебе работать, если посмотрю «Лови волну»? — интересуется мой сын, устраиваясь на диване рядом.

— Не знаю. Если будешь — я тебе скажу.

Мама разбудила меня в 12 ночи. Она была счастлива.

— Я хочу сказать тебе спасибо! Мне никогда не было так весело!

И она никогда не говорила мне «спасибо».

— Пожалуйста.

Мне приятно. Я представила свою маму на тусовке.

На всякий случай советую:

— Ты меня спрашивай, а я буду говорить тебе, какие вечеринки хорошие, а какие нет. И ты обязательно ходи на премьеры!

— Да, да! Я уже говорила с папой, он всюду готов меня сопровождать! Так что, моя дорогая, я сегодня абсолютно блистала!

— Ну, клево. — Я действительно рада.

— Ты не обиделась, что я не приехала? Я приеду завтра.

— Ладно. Целую тебя. Спасибо.

— И тебе спасибо.

— Спокойной ночи.

Чтобы почувствовать себя звездой, надо прийти на какой-нибудь не самый главный канал и на не самую рейтинговую передачу.

Настоящая свобода – это свобода передвижения.

# 10

Они мне все-таки позвонили. Журналисты.

— А кто ее спрашивает? — Я даже не пыталась изменить свой голос.

— Мы давно ей звоним... Мы были бы так рады...

У них одна гримерка — и для ведущей, и для гостей.

Лицо ведущей кажется мне знакомым. Но имени я не помню.

У нее довольно хороший макияж.

— А можно меня вот эта девушка накрасит? — интересуюсь я. — Девушка, вы скоро закончите?

— Это мой личный стилист, — холодно произносит ведущая, не отрывая глаз от зеркала.

— Да? — переспрашиваю я рассеянно и продолжаю, не обращаясь ни к кому конкретно. — А можно как-то решить этот вопрос? Меня не устроит другой гример.

Все начинают суетиться, галдеть, кивать головами.

Меня красит — сам! — личный гример ведущей.

Ведущая, уже готовая к съемке, переминается на входе с ноги на ногу.

— Время! Студия готова! — кричит администратор.

— А я еще нет. Будьте добры чаю! — улыбаюсь я вредно. От всей души.

Мы встречаемся с Сан Санычем в цирке. Это он попросил.

Мне кажется, в детстве он пересмотрел шпионских детективов.

Меня встречает его сотрудник.

— Почему в цирке? — интересуюсь я.

— Да так, мы тут кое-что налаживаем...

Мы сидим в первом ряду, на арене клоун заставляет обезьянку встать на передние лапы. Она его дразнит.

— Мы думаем, надо проверить твое ближайшее окружение, — говорит Сан Саныч.

— Ты же проверял.

Меня очень беспокоит, что они там выследили, наблюдая за моим ведущим.

— У тебя намечается какое-нибудь мероприятие?

Теперь уже клоун дразнит обезьянку.

— Ну, да... Встреча с читателями. В Доме книги.

— Отлично. Ты расскажешь всем своим знакомым, что отказалась от охраны. Всем! Ты поняла меня?

— Поняла. И что?

— Провокация. Посмотрим, что будет.

— Ты хочешь его спровоцировать? Ты с ума сошел!

— Ничего страшного. Идеально, если бы ты обратно одна по улице шла... но это опасно.

— Ладно, — я кивнула.

Обезьянка на арене ловко делала сальто.

— И всем подружкам, — устало повторил Сан Саныч. — И Кате, и Марине, и этой, как ее, Регине, и Черновой.

— И Черновой?

— Всем.

— Ладно, — снова согласилась я. — А Регина уехала.

— Давно?

— Несколько дней назад.

— И несколько дней звонков нет?

— Слушай, это чушь!

Мой телефон.

— Ответь, — кивает Сан Саныч.

Если маньяк — я сразу передам ему трубку. Пусть разбирается.

Мой издатель.

— Могу тебя поздравить. Мы до сих пор на первом месте!

— Спасибо.

Сан Саныч сильно жестикулирует и шепчет: «Скажи, скажи ему про охрану!»

— Ты вторую книжку собираешься писать?

— Собираюсь.

— Ну, так давай! Жесткое что-нибудь. И скандальное. Про наркотики или детскую проституцию. Ты знакома с этой темой? Нам надо расширять аудиторию.

— Я от охраны отказалась, — говорю я.

Сан Саныч морщится.

— Ну и правильно. Я вообще считаю, что в наше время с охраной ходить неприлично. Потому что раз тебя надо охранять, значит, ты что-то не то и не тому сделал. То есть или дурак, или подлец. И то и другое плохо для имиджа.

Заехала в ЦУМ.

Там есть VIP-раздевалка и ее очаровательная хозяйка. Удобно — никто тебе не мешает, меряешь наряды, пьешь кофе. Листаешь «OK!». Рассматриваешь собственную фотографию.

Купила платье «Blumarine». С вишенками. Очень красиво.

Еще несколько месяцев назад внимания на него не обратила бы.

Но не просто же так на платьях вишенки рисуют?

Сан Саныч сказал, что наблюдения за Александром результатов не дали — пока.

— А что он делает? — спросила я.

— Ничего. Вчера в театре был.

— Один? Или с девушкой? — Так спрашивает пациент: «Доктор, я умру?»

— Девушки у него, судя по всему, нет. Хотя, по оперативным данным, была.

— Что такое оперативные данные?

— В основном — соседи.

— И что?

— Вроде съехала. Ты рада?

И теперь он звонит и слушает мой голос. Звонил, по крайней мере. И слушал.

«Нет, — говорит доктор, — вы еще нас всех переживете».

Я все время смотрю на телефон.

— И мужу скажи, что охрану сняли! — напоминает Сан Саныч. — И позвони своей этой юристке сумасшедшей, с собачками! Ей скажи!

— Всем бы быть такими сумасшедшими, — ворчу я.

— А все и так такие! — успокаивает Сан Саныч.

Встреча с читателями.

Причем раньше это были в основном встречи с читательницами. А сейчас — и мужчины в очереди, кто-то даже с цветами.

Я — как будто бы без охраны.

Всматриваюсь в лица людей, пытаюсь определить, кто из них — от Сан Саныча.

— Скажите, у вас есть мечта? — Толстая тетка в пушистой шубе. Вполне может оказаться оперуполномоченной.

— Есть. — Я отвечаю и одновременно надписываю книги. — Вишневый сад.

— Вы любите вишни или Чехова? — голос из толпы.

Может, это маньяк?

— Чехова. Потому что он написал «Вишневый сад».

— Господа! Не дадим погибнуть от холода бездомным животным! — истерично завопила уже знакомая мне старушка и бросила на стол толстую рукопись своих стихов. — Это наши четвероногие друзья! Это единственные наши друзья!

Я встретилась взглядом с Сан Санычем. Его брови удивлялись острыми треугольниками.

— И ваш единственный! — она ткнула рукой в сторону молодой девушки. — И у вас никого нет! — она хлопнула по плечу мужчину с гвоздикой.

В этот раз ее вывели практически без скандала.

Встреча с читателями не оправдала надежд Сан Саныча. Других сумасшедших на ней не оказалось.

Либо они не проявили себя.

— Значит, это кто-то не из ближайшего окружения, — вздохнул Сан Саныч.

— А ты сам-то овощи ешь? — поинтересовалась я.

— Нет, — честно ответил он. — Только мясо. И рыбу.

Наконец-то зазвонил мой телефон, по которому звонят журналисты.

— Здрасьте! — Девушка говорит скороговоркой. — Это помощник Трубекса! Мы бы хотели...

— А кто это: Трубекс? — мрачно интересуюсь я.

Снежинки тают на лобовом стекле.

— Трубекс — это помощник Крока, промоутера клуба...

— Девушка! — перебиваю я. — А вы почему сами звоните? У вас что, помощника нет?

Вешаю трубку. Все-таки, когда телефон был у Регины, было правильнее.

Дома маму застала в моей раздевалке.

— Ой, ты так рано! — Она изо всех сил старалась скрыть свою растерянность. — Я тут просто...

— Что-то ищешь? — уточнила я.

— Ну, может, тебе что-то не нужно? — Ее глаза заблестели. — Я иду на презентацию «Nokia», и мне совершенно нечего надеть!

Мама выбрала розовый свитер с воротником из серого атласа.

— Шикарно?! — полувопросительно воскликнула она.

— Шикарно! — подтвердила я.

Неожиданно мама чмокнула меня в щечку.

— Мам...

— Да? — Она крутилась перед зеркалом.

— А что надо сделать для того, чтобы развестись с мужем и при этом остаться друзьями?

Мама замерла, как в детской игре «Морская фигура на месте...». Только ее фигура была не морская, а гламурная, и видимо, поэтому взгляда от зеркала она так и не отвела.

— Надо простить друг друга, — сказала мама. Не шевелясь.

— Простить? — переспросила я.

— Конечно, — кивнула мама и наконец-то посмотрела на меня. — И не считать, что ваш брак был несчастливым, что это зря потраченные годы... Что один обманул другого...

— Но я так и не считаю... вроде бы.

— Считаешь, считаешь. В душе. Но на самом деле ведь никто не виноват. — Она сняла свитер и достала с полки розовую блузку.

— Но ведь если люди расходятся, это не просто так... кто-то же все равно виноват... — Я, конечно, имела в виду своего мужа.

— Ты думаешь, что он любил деньги больше, чем тебя? — догадалась мама.

— Конечно! — кивнула я. — Эта блузка тебе тоже идет!

Ее глаза снова сверкнули. Она покосилась на зеркало.

— А ты? Свои юношеские амбиции ты любила больше, чем вашу семейную жизнь.

— Неправда! — возмутилась я.

— Правда-правда, — кивнула мама. — Ты считала, что чахнешь у детской кроватки, вместо того чтобы реализовываться как личность. Было такое?

Я промолчала.

Мама снова надела розовый свитер.

— И что в итоге? — спросила мама. — Реализовалась?

— Реализовалась, между прочим, — обиженно ответила я.

— Так что же вы друг другу названиваете? Сидели бы счастливо, ты со своей славой, он со своими деньгами...

— Денег у него, кстати, больше нет.

— Как? — Мама, кажется, даже забыла о нарядах. — У вас же дом в ипотеке?

Я пожала плечами.

— Он говорит, что за дом будет выплачивать. И мы друг другу, кстати, не названиваем.

— Ну, тем более. — Она пошла к выходу. — Просто простить! — крикнула она из-за двери. — И сделать вид, что вы теперь друзья!

— Бабуля! — закричал Антошка из своей комнаты. — Когда я вырасту, я стану официантом!

— Почему? — почти пропела бабуля. В розовом свитере с серым атласным воротником.

— Потому что официантов называют полным именем. У них так на табличках написано. Ну, например, Александр...

Хороший пример. Александр. Может быть, мне позвонить ему самой? Даже можно ничего не говорить. Как он. Просто послушать голос.

— Нет, Антошка, — строго сказала мама, — ты будешь бизнесменом. Или финансовым гением. Как папа.

Достала из сумки рукопись со стихами той старушки, что помогает бездомным животным.

*«Вера, надежда, радость, любовь*
*Желание жить оживляют».*

Да...

*«Нужно хорошо друг к другу относиться,*
*А грешить и потом молиться —*
*Никуда не годится».*

Понятно.

Правило № 4. Если вам хочется записывать собственные мысли, постарайтесь прежде убедиться в том, что их захочется записывать другим.

...Катин стриптизер плакал в трубку.

Умер водитель машины, попавшей в аварию по вине Кати.

Стриптизер плакал так громко и мокро, что я даже хотела спросить, не были ли они родственниками. Чтобы выразить соболезнования.

На Катю заведено уголовное дело.

— Ты где? — спросила я. Ненавижу, когда мужчины плачут. В этот момент перестаешь чувствовать себя женщиной.

— Дома... — Он всхлипывал. — У Кати... дома.

Так бы и говорил: у Кати.

— Я сейчас приеду. Дождешься?

— Да!!! — И снова рыдания в трубку. Хорошо, что Катя этого не слышит.

— Только давай ты успокоишься. Ладно?

— Л-л-ладно.

Когда я приехала, он уже не плакал. Он растерянно ходил по Катиной квартире, дотрагиваясь руками до всех ее безделушек, подушечек, шкатулочек.

— Нужны деньги, — говорил он. — Надо закрыть дело. Надо поговорить с родными погибшего, сколько они хотят?..

Стриптизер остановился перед зеркалом, и я почему-то не увидела его отражения. Или мне показалось?

Он подошел к старинному, как и все вокруг, трюмо, выдвинул ящичек и достал длинную — Катя ее очень редко носила — жемчужную нить.

— Надо продать какие-то вещи, — он посмотрел на жемчуг в своей руке. — Я не знаю, сколько это может стоить? — И повернулся ко мне.

Я молчала.

— Как ты думаешь? — настаивал он. — Жемчуг — это, наверное, дорого? А Катя вроде эти бусы не особенно любила.

Это были бусы ее бабушки. Катя надевала их только один раз — на собственную свадьбу. Берегла.

— Я вообще думаю, что здесь много ценных вещей, да? — Он с надеждой заглядывал мне в глаза, кружил по комнате, трогал все рукой, и рука его была похожа на волшебную палочку — стоило ей коснуться какого-либо предмета, этот предмет сразу переставал быть Катиным.

— Посоветуй мне! — почти завизжал он. — Что ты молчишь?

Кате ведь надо будет куда-то вернуться. Из больницы. Сюда. В свой дом. К своим шкатулочкам, этому зеркалу и бабушкиным фотографиям.

Не к стриптизеру же.

— А где Морковка? — спросила я. Зачем называть дочь Морковкой? Лучше уж ягодкой.

— А? — Он как будто не понял. — А! У папы.

— Хорошо. — Я встала. — Ты тут, пожалуйста, ничего не трогай. Ничего, понял?

— Понял. — Он подавленно кивнул.

— Поговори там со всеми. С кем надо. И позвони, скажи — сколько нужно денег. Я буду ждать.

— Ты понимаешь, — он снова всхлипнул, — я ведь столько не зарабатываю... даже если я сейчас сильно начну пахать...

Я посмотрела на него с интересом. Что он подразумевает под словом «пахать»? В стриптиз-клубе?

— Не надо, — попросила я, подумав о Кате.

Он понимающе кивнул.

— Ну, я жду, — повторила я.

И закрыла за собой дверь.

Алик плыл в Танжер на яхте друзей Черновых.

Я позвонила мужу. Бывшему.

— Поздравляю тебя с наступающим Новым годом! — сказала я. — И от всей души желаю тебе счастья! И чтобы ты снова влюбился! И чтобы все-все твои желания исполнялись! И чтобы те трудности, которые у тебя сейчас, может быть, есть, оказались временными! И мы с Антошкой тебя очень любим! И всегда тебя поддержим!

— Спасибо, — сказал он, помолчав. — Я тебя тоже люблю. И поздравляю. Как думаешь встречать Новый год? — спросил он.

— Не знаю, с подружками... А ты?

— С друзьями.

— Ну, ладно. Пока? — Я улыбалась сама себе.

— Пока.

Скинула на пол несколько журналов и нашла свой листок. Сверху фиолетовой ручкой было красиво написано: «Как развестись с мужем и остаться друзьями?»

Фиолетовая ручка оказалась рядом.

Okay. Поехали.

«Первым делом мы простили друг друга. Ну, не то чтобы первым...»

Телефон зазвонил чем-то похожим на марш Мендельсона. Как раз в тот момент, когда я задумалась над последней строчкой моей колонки.

Что-нибудь вычурное и со стебом. Нельзя же слишком уж серьезно, про бывшего-то мужа.

— Минуточку! — крикнула я в трубку и дописала:

«Печаль, распустив паруса, кинулась в бездну моих воспоминаний. И сия пучина поглотила ее».

Хи-хи.

— Алло.

Это Регина.

— Привет, моя дорогая. Как ты?

— Нормально. Написала колонку.

Нажала кнопку на пульте, включила телевизор. Развалилась на диване.

— О! Молодец! Вот они обрадуются! — По крайней мере, Регина точно обрадовалась.

По телевизору шла передача про яды. Грибы, от которых удушье начинается через секунду.

— А вы как? — интересуюсь я.

— Нормально тоже. В номере валяемся. Я сейчас в туалете закрылась, чтобы тебе позвонить. Пока он там футбол смотрит.

— Не разрешает? — сочувствую я.

— Тебе звонить? Не, не разрешает. Говорит, я должна отдохнуть...

— Регин, подождешь, у меня вторая линия?

— Давай. Только быстро.

— Алло?

— Ну, что, грибочков скоро наешься, сука? — прошипели в трубку.

Не попадая пальцем на красную кнопку, я стала нажимать на все подряд, судорожно, телефон плясал в моих руках так, словно его снизу поджаривали.

Я выронила его из рук. Просто выпустила. Он снова звонил, но больше я не в силах была это слушать.

Сорвала с вешалки старый пуховик Антошкиной няни и выбежала на улицу.

Звезды подмигивали не то заговорщицки, не то издевательски.

Я не понимала их.

Но хотелось плакать оттого, что они не понимали меня.

Нет, не плакать. Рычать, стиснув зубы.

А потом тихонечко повыть.

Моя машина пискнула и мигнула. Я села за руль.

Полный бак бензина.

Я решила ехать в Питер.

Просто так. Просто потому, что решила.

Нажала на газ. Включила музыку. Саундтрек из Альмодовара «Высокие каблуки».

Свобода делать что хочешь — это распущенность. Свобода говорить что думаешь — это хамство (не путать с эпатажем — когда делаешь вид, будто говоришь что думаешь.)

Настоящая свобода — это свобода передвижения.

И, как всякой свободой, совсем не обязательно ею пользоваться. Просто знать — что можешь, когда захочешь.

На кольцевой дороге я развернулась обратно. Дома аккуратно повесила нянин пуховик на вешалку.

Все-таки прокатилась, вместо того чтобы выть. На луну.

Утром охранники принесли огромную коробку. Перевязанную лентами и изысканно украшенную чайными розами.

— Что это? — спросила я.

Мы все столпились в прихожей, Антошка опаздывал в детский сад.

Мама зевала, видимо, вчерашняя презентация закончилась не рано.

Охранник освободил коробку от украшений, но, прежде чем открыть ее, попросил нас отойти подальше.

— Еще дальше! — сказал он. — Мало ли что...

Мы выглядывали из-за двери, а Антон из-за наших ног.

— Крокодил! — закричал мой сын.

Это был торт.

— Ничего себе глазки! — одобрительно хмыкнул Антон и засунул палец в выпученный левый глаз.

— Антон, не порть такую красоту! — попросила мама и спросила меня: — Что это?

— Крокодил. — Я пожала плечами. — С выпученными глазами.

И радостно улыбнулась.

— Обыкновенный крокодил, — повторила я.

— Судя по твоему довольному виду, не такой уж и обыкновенный, — сказала мама и потерла глаза, отчего вчерашняя тушь размазалась по всему лицу.

— Не обыкновенный, а очень даже вкусный! — подтвердил Антошка и ловко выковырнул второй глаз. Из взбитого белка.

— То по радио рассказывают, что у тебя крокодил в ванной, теперь торт... Не слишком ли много рептилий на одну семью? — спросила мама и пошла спать дальше.

— И вот вам еще конверт, — сказал охранник. — Только я его посмотрю, ладно?

— Ладно, — кивнула я.

— А я посмотрю хвост! — сказал Антон.

— Тебя уже в садике заждались! — улыбнулась я сыну, не сводя глаз с конверта.

От него.

Я взялась за стул, чтобы не взлететь от счастья.

— Ну что? — вроде бы спросила я.

— Ничего, — сказал охранник разочарованно, аккуратно разложил конверт так, словно хотел сделать из него кораблик. — Ничего... Ни спор сибирской язвы. Ни яда, ничего...

Я выхватила из его рук продолговатый листок.

Обычное приглашение. Я получаю таких десятки в день. Вернее, моя мама.

— Его передали вместе с коробкой, — сказал охранник и повез Антона в сад. Тот успел откусить крокодилу нос.

Сегодня. Ежегодное мероприятие «Ice & Fire». Все приходят в шубах. И показ шуб.

Я прижала приглашение к себе так, словно только что родила его.

Несколько строчек с датой и дресс-кодом я перечитала десятки раз.

Я буду там самая красивая. Я надену свою лучшую шубу.

— У-у-уже и н-н-не чаяла вас у-у-увидеть! — сказала Графиня Вишенка, встречая меня на пороге своего кабинета. — В-в-великолепная ш-ш-шуба! F-F-Fe-Fendi?

— Надеюсь купить себе еще парочку после того, как мы подпишем договор, — улыбнулась я.

— Н-н-непременно п-п-подпишем! — она взмахнула руками так, словно оттуда должны были посыпаться косточки, как в русской народной сказке. И превратиться потом в деньги.

Мы назначили подписание договора на конец недели.

Миллион мне дадут наличными.

— Это уже после уплаты налогов? — уточнила я.

— Н-н-но, п-п-позвольте... Н-н-налоги будете вы-вы-выплачивать вы са-са-сами...

— Нет. — Я покачала головой и сказала твердо: — Я хочу миллион долларов чистыми. После всех выплат.

Графиня Вишенка пытливо разглядывала мое лицо.

— А-а-а в-вы уже пишете с-с-следующую книгу?

— Пишу, — соврала я.

— О-о-о чем? Мо-мо-можно поинтересоваться?

— Такая чернуха, в стиле современных фильмов про криминал.

— Хо-хо-хорошо! — Она радостно потерла ладошки, как будто высекала огонь. А высекла шестьдесят тысяч. — Я у-у-увеличу сумму го-го-гонорара на 6%. В-в-вы ведь и-и-используете о-о-облегченное на-на-налогообложение?

— Наверное, да. Я поговорю с юристом.

— И-и-и там б-б-будет с-с-секс, п-п-проституция и так д-д-далее? — улыбалась моя будущая издательница.

— И наркотики, — радостно подтвердила я. — И инцест.

— Ши-ши-шикарно! А мо-мо-может быть, д-д-даже н-н-немного про К-к-ксюшу С-с-собчак? — неуверенно предложила она.

— Довольно много, — пообещала я, и она окончательно приободрилась.

Если бы я не стала писателем, я бы была Дедом Морозом.

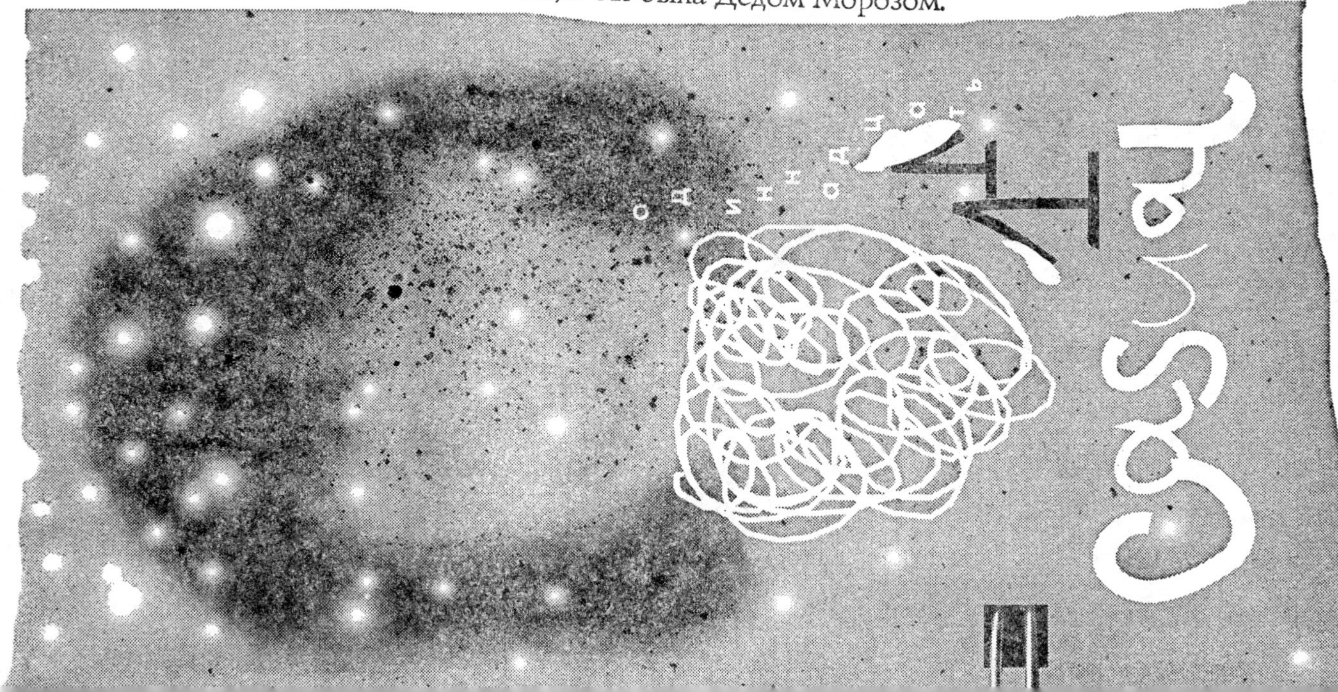

# 14

Гости «Ice & Fire» уже съезжались к особняку на Басманной — бывшему клубу детей железнодорожников.

Роскошные меховые пальто, смешные муфты, пушистые рукавицы, затейливые шапки, высокомерные лица счастливых обладательниц.

Я забыла пригласительный дома, на кухне.

— Ну что вы, — протянула девушка на входе и улыбнулась. — Проходите, пожалуйста, мы вас и без пригласительного знаем...

Александр стоял в конце длинной аллеи и смотрел на меня.

Журналисты и фотографы толкались с обеих ее сторон, выкрикивали мое имя. Они кричали все громче, все яростнее и остервенелее.

Я не поворачивалась к объективам. Я смотрела ему в глаза. С каждым шагом я все глубже погружалась в них.

— Моя дочь не замечает меня! — вдруг услышала я сзади голос своей мамы.

Она размахивала пригласительным и поощрительно кивала фотографам.

Она надела мою шубу из рыжей лисы.

— Это ваша дочь? — загалдели журналисты.

Мама неожиданно резво взяла меня под руку и повернула к камерам.

— Пожалуйста, сюда. Журнал «Glamour».

— Пожалуйста, для ««ОК!».

— Пожалуйста, для «Hello!».

Я пыталась не отрывать взгляда от Александра. Мама крутила меня перед камерами, я даже по привычке улыбалась.

Мама посылала воздушные поцелуи и кокетливо морщила носик. И хохотала.

Она исчезла в толпе так же неожиданно, как и появилась.

Он протянул мне бокал с шампанским.

Никто не хотел первым нарушать молчание. Мы чокнулись. Но не сделали ни глотка.

Мимо проходили люди, здоровались со мной, я молча им кивала и улыбалась.

Он взял меня за руку, и я покорно засеменила за ним, путаясь в фалдах своей длинной шубы.

Он поцеловал меня за сугробом.

— Привет, — сказала я, и мне показалось, что это было первое слово в моей жизни.

— Привет, — прошептал он, склонившись совсем близко к моему лицу.

— Есть хочешь? — почему-то спросила я.

— Хочу.

И он снова потащил меня за руку.

В роскошной шубе в пол, модный и ироничный, Андрей Фомин приветствовал гостей. У него всегда немного загадочный вид, как будто он знает что-то такое, чего не знает никто. Причем, может быть, даже про тебя.

— Дочь, положи мне рыбу, — услышала я мамин голос и удивленно обернулась: она никогда не называла меня «дочь».

— Рыбу? — переспросила я, принимая из ее рук тарелку. Моя мама многозначительно смотрела на Александра.

— Давайте я за вами поухаживаю, — предложил он, и мама удовлетворенно кивнула.

Они завели беседу о телевидении. Я никогда не знала, что моя мама в курсе рекламных долей ведущих каналов.

Они обсудили «ТНТ». Потом «Первый». Наконец мама заговорила о том канале, с которого ушел Александр.

— Ни одного успешного проекта! — заявила моя мама. — Одни провалы, с тех пор как вы перестали там работать!

— Спасибо, — улыбнулся Александр. Равнодушно.

И мама перевела разговор на детей. Ее историям про то, какой я была милой девочкой в детстве, не было конца.

Александр заинтересованно расспрашивал о подробностях.

Я с ужасом представляла себе, как она сейчас достанет из складок пушистой шубы семейный альбом.

Я извинилась перед ними и сказала, что мне нужно позвонить.

Сан Санычу.

Потому что тот же молодой человек, что был с гвоздикой на встрече с читателями, теперь стоял рядом с нами здесь.

— Ты уверена, что тот же? — уточнил Сан Саныч.

— Ну, конечно, уверена.

— Может, просто тусовщик какой-то?

— Раньше я его нигде не встречала.

— Ладно. Я пришлю туда людей. Веди себя естественно.

Как только моя мама наелась и, помахав нам рукой, сказала, что хочет «пройтись», Сан Саныч перезвонил.

— Мои люди там. Никогда не думал, что так сложно попасть на эти мероприятия.

— А разве тебе не присылают пригласительные? — хихикнула я.

— Уже отчаялись, — ответил Сан Саныч. — Там нет какой-нибудь пустынной дорожки?

Хорошо, что к Александру в это время подошел Фомин.

— Нет. Вряд ли. Хотя... — Я вспомнила про то место за сугробом, где мы целовались.

— Иди туда, одна, — решил Сан Саныч.

— Одна? — не очень обрадовалась я.

— Не бойся. С тобой профессионалы. А потом, там такая толпа, он не решится на что-то совсем уж... но проявить себя может. Иди.

Александр и Андрей что-то увлеченно обсуждали.

Я сделала знак, что сейчас приду, и направилась к сугробу.

Какие-то незнакомые люди по дороге кивали мне, потому что наверняка были знакомыми.

Сугроб отгораживал меня от них.

Немного страшно. И глупо стоять тут в одиночестве.

— Писаешь? — неожиданно подкравшись, спросил мой знакомый фотограф из «Коммерсанта». Валера.

— Не писаю, — огрызнулась я, и он ловко щелкнул фотоаппаратом.

Может быть, он — маньяк? Я стала придумывать какой-нибудь провокационный вопрос, но начался показ шуб, и Валера убежал, оставив меня одну.

Мне показалось, что я услышала какой-то шорох. Нет. Никого.

Постояла еще минут пять.

Если он здесь, то надо его спровоцировать.

Как? Что может спровоцировать маньяка? Наверное, мой довольный вид. Он же считает, что я — овощ, и мой довольный вид может подействовать на него как красная тряпка на быка.

Я принялась насвистывать. И слегка пританцовывать в такт музыке, доносящейся с показа. Я даже пару раз щелкнула пальцами. И подпела.

— Неплохо, — похвалил Александр из-за сугроба.

— Да? — Главное — сделать вид, что я совершенно не растерялась.

— Да. Я за тобой уже давно наблюдаю.

— А... Просто... Знаешь...

— Я понял. — Он подошел ко мне и обнял. — Понравилось? Так бы и сказала. К чему эти ритуальные танцы? Я в них и не очень-то разбираюсь.

Он поцеловал меня. Второй раз за сегодняшний вечер.

Наверное, это может спровоцировать маньяка.

Мы поцеловались еще раз.

Мы целовались так долго, что я уже забыла и про маньяка, и про то, почему вообще оказалась за этим сугробом.

Пока не позвонил Сан Саныч.

— Уходи оттуда, — мрачно сказал он. — Я отзываю своих людей.

— Приглашаю к себе домой! — торжественно объявил Александр. — Отметить нашу встречу.

Конечно, я не стала ему говорить, что отлично знаю, где он живет.

И машину он припарковал там же, где, видимо, и всегда.

Я ревниво искала в квартире следы предыдущей женщины.

Даже открыла шкафчик в ванной.

Ничего. Туалетная вода, дезодоранты. Крем «Cellcosmet» для глаз. Хи-хи.

В столовой — накрытый стол. Белая скатерть, в ведерке со льдом — шампанское.

— Я не знал, чем блеснуть перед тобой, и решил приготовить ужин, — сказал он, очаровательно смущенно.

— А ты готовил раньше? — подозрительно спросила я. И тут же представила, как он встречает с вот таким вот нарядным столом ту, другую.

— Нет, — честно признался он. — Раньше готовили мне. Но от тебя, похоже, этого не дождешься...

— Зато я на сноуборде умею! — Я довольно улыбалась.

На ужин был бульон из телячьих хвостов с раками.

Из книжки Оксаны Робски «Рублевская кухня».

— Продавщицы посоветовали, — сказал он, — говорят, именно для тех, кто не умеет готовить, но хочет удивить гостей. Ты удивлена?

— Очень. — Из тарелки с аппетитным супом на меня гламурно поглядывал рак, небрежно свесив с края клешни.

Было вкусно. И романтично.

— Ты точно сам готовил? — засомневалась я.

— Конечно! — обиделся он, разгрызая клешню.

— Ну, как это готовится? — не унималась я.

Александр подробно рассказал, как смотрел в толковом словаре, что такое «мясной бульон», и консультировался с мамой, где лучше приобрести телячьи хвосты.

Я осталась у него до утра.

Мы постелили новое постельное белье. Прямо из упаковки. «Японские сны».

Розовый куст, голубой букет.

— Хранил для особо торжественного случая! — ухмыльнулся он. — И запомни на будущее: постельное белье покупай только в магазине «Сны і Секреты».

— Они что, тебе за это приплачивают?

— У тебя извращенная психология медийного лица.

Он потянул меня за руку. На кровать.

— А ты про какое будущее? — не удержалась я.

— Про наше, конечно. Не волнуйся.

— Я не волнуюсь.

— Да?

— А ты разве не чувствуешь?

— Ну... что-то чувствую... хи-хи...

— Сейчас почувствуешь еще больше...

— А разве бывает больше?

— Что за сарказм?

— Нет, что ты... хи-хи...

— Ну, все, сейчас я тебе покажу!..

Телефон Регины трезвонил не переставая. Все журналы и все газеты уже знали, что я подписываю с издательством договор и получаю аванс миллион долларов.

— На-на-начали пи-пи-пи-пиар вашей книги, — объявила мне в трубку Графиня Вишенка. — Ка-ка-ка-как, кстати, продвигается работа?

— Нормально.

— За-за-заканчиваете?

— Почти.

— Ну-ну-ну отлично. И, по-по-пожалуйста, не отказывайтесь от и-и-и-интервью. Этот п-п-пункт есть в нашем договоре.

— А когда я получу деньги?

— Мо-мо-может, пятница?

— Okay.

— И, по-по-по-по-пожалуйста, побольше чернухи! Народ у нас это любит. Мы та-та-та-такие тиражи обеспечим!

Катя уже начала ходить.

Я знала, сколько нужно было денег, чтобы закрыть дело. И сколько попросили родственники погибшего.

— Я достану, — сказала я Кате. — В пятницу. Не волнуйся.

— Спасибо, — кивнула Катя. — И не сомневайся: я отдам. Я что-нибудь придумаю... в крайнем случае, брошу его на фиг... — прошептала она и кивнула в сторону стриптизера. Он сидел у окна и перебирал журналы, выбрасывая те, которые Катя, видимо, уже посмотрела. — И зароманю с каким-нибудь олигархом!

Я улыбнулась.

Она качнула своим гипсом.

— А что? Извращенцев полно. — Катя хитро подмигнула.

Я обняла ее.

— Все будет хорошо. Ты, главное, выздоравливай. А выглядишь и так отлично.

— Я тут похудела! — подхватила моя подруга.

— Заметно, — сказала я серьезно. — Даже очень.

Стриптизер довольно улыбнулся себе под нос. Незаметно бросил на меня одобрительный взгляд.

— Ну, ладно, ребята. Я вас целую! — попрощалась я. — Слушайтесь врачей.

Почему-то хотелось говорить им «вы», обращаться сразу к ним обоим.

Как обычно перед Новым годом, на улице почти совсем растаял снег.

Машины месили грязь, люди сновали по улицам в суетливой предпраздничной кутерьме.

Солнце ослепило день. И сумерки, как марлевая повязка, накрыли землю.

Я включила фары.

Можно, конечно, поехать домой. Но можно поехать и к Александру. Если он позвонит.

Утром, когда я уходила, он сказал: «Набери мой номер, когда освободишься».

Я освободилась. Вернее, я специально не занимаю себя.

Я говорю журналистам: «Ее нет», а они нагло утверждают в трубку, что узнают мой голос.

Заехала в «GQ».

Знакомых почти никого нет.

Александр не звонит. Может, ждет, когда я позвоню?

Потяну еще немного. Позвоню через час, если он сам не объявится.

За столом слева от пианино большая компания. Один из владельцев ресторана — Александр Соркин.

Сажусь к ним.

Справа от меня — девушка. Ляля. Я ее везде вижу, но лично не знакома. Тусовщица. Мы весело болтаем.

Позвонил мой издатель.

— Это правда? — спросил он с укором.

— Что именно? — интересуюсь я.

— Ты не подписываешь договор со мной?

Ляля кладет мне в тарелку пару димсимов. Я качаю головой: не хочу.

— Дай денег, подпишу.

— Это нечестно.

— Честно. Мне деньги нужны.

— Мы их заработаем. Вместе.

— Слушай, я вообще не знаю, смогу ли я написать еще пять книжек.

— Напиши пока только одну. Помнишь, я тебе говорил? Детская проституция, все такое, очень легко.

— Не легко.

— Не легко? Почему? — Он как будто действительно удивлялся.

— Не знаю. Не могу я.

— А ты пробовала?

— Я даже пробовать не хочу.

— А зря.

Я заказала воды.

— Может, фруктиков? — предложил Соркин.

А может, Соркин и есть маньяк? Например. Надо задать ему провокационный вопрос.

«Соркин, ты — маньяк?»

— А у тебя в детском садике что было на ящике нарисовано? — интересуюсь я, как будто бы между делом.

— Земляничка! — не моргнув глазом, отвечает Соркин.

— А меня мама не отдавала в эти ужасные детские сады, — сказала Ляля. И я думаю о том, что она маньяком точно быть не может.

Александр позвонил и пригласил меня к себе.

— На ужин? — уточнила я. — Что-нибудь из «Рублевской кухни»?

— Разберемся, — ответил он. — И постарайся побыстрей: я соскучился.

Я сказала Ляле, что мы обязательно будем дружить, и уехала, не допив воду.

За мной каждый раз надо ухаживать. Долго, трепетно, и как будто впервые.

Свидания, которые прямо на пороге начинаются с секса, — это не мой casual. Если, конечно, я не устраиваю продуманную PR-акцию.

В этот раз я ее устроила.

Представляя себя Николь Кидман в фильме Стенли Кубрика. И была возбуждающая интрига в том, что к стене меня прижал не Том Круз.

А потом мы лежали на полу. В обнимку, свернувшись калачиком. В прихожей. Голые.

Слышно было, как соседи возвращаются домой. Хлопали двери. Топали сапоги охранников. Звонили мобильные телефоны. Наши. Мы не отвечали.

Особенно разрывался Регинин. Такое впечатление, что кто-то устроил конкурс для журналистов. Тот, кто дозвонится первым, — получит кофеварку и два пригласительных на премьеру Тарантино.

— Ты собираешься меня кормить? — интересуюсь я.

— Собираюсь, собираюсь.

— Правда? Ты такой четкий! Что-нибудь изысканное?

— Ты как Брэд Питт.

— В каком смысле? В смысле твоих сексуальных пристрастий?

— Не только. — Мы оба захихикали. — Ты никогда не замечала, что Брэд Питт в каждом фильме обязательно ест? Это его фишка. И твоя: ты удивительно прожорлива.

— У нас, у звезд, хороший аппетит! — пошутила я и тут же смутилась.

Он ведь тоже звезда. Только бывшая...

— А ты, кстати, когда на телевидении работал...

— Я худел.

— А! Хотел быть красивым?

— Красивым я был. А хотел быть — худым.

— Больше не хочешь? — Я повернулась к нему лицом. До этого он дышал мне в затылок, а я разглядывала стальную ручку входной двери.

— Больше не хочу.

— Почему?

Он улыбнулся.

— А зачем? Меня и так девушки любят.

— А профессиональные амбиции? — не унималась я.

— Неблагодарное это дело.

— А тебе надо, чтобы тебя обязательно благодарили?

— Наверное, всем надо. Тебе разве нет?

— Не знаю. Это просто бонус такой — признание, известность. А так-то я все делаю для себя. То, что я хочу. И что мне надо.

— Ты говорила, что тебе надо есть.

— Нет. Я говорила, что мне надо много есть — и вкусно.

На ужин был омар по-каталонски.

Правду говорят, что лучшие повара — мужчины.

Я уехала очень рано.

На съемку к Андрею Малахову.

Не знаю, ради чего еще я решила бы проснуться в такую рань. Чтобы попасть на Луну. На Мальдивы. На свадьбу. Все.

Говорили об армии.

Мой оппонент — депутат Олег Савченко. Он странно смотрел на меня, когда я, не стесняясь, заявила, что да, я бы заплатила, и дала бы взятку, и подделала бы документы, и сделала бы все, что угодно, лишь бы мой сын не пошел в армию. И чтобы его не отправили в Чечню.

Потому что, конечно, очень приятно его представить на танке, или как там это называется, такого красивого, такого белозубого, как

Федор Бондарчук в «9 роте». Но есть еще груз 200. А я — мать.

— За Родину пора научиться не умирать, а убивать! — заявил депутат Савченко, и остальные гости дружно зааплодировали.

— Кто же будет защищать наших девочек? — обратился Савченко прямо ко мне. И мне было приятно это слово «девочек». Я представила Савченко на танке, улыбающегося и такого надежного. — Если не мы, то кто же?

— Кто же? — повторил Андрей Малахов, умеющий ловко не только развернуть, но и свернуть любые дебаты ровно в ту самую минуту, когда эфирное время заканчивается.

Конечно, Антошка не пойдет в армию. Он будет учиться в институте, влюбляться, танцевать в клубах, зарабатывать деньги.

Может быть, даже он будет президентом страны. Или хоккеистом.

Я сама забрала сына из детского садика. Мы поехали на детский праздник.

Александр уже ждал нас там. Так мы с ним договорились.

— Я поеду с вами, — сказал он утром, провожая меня до лифта. — Можно?

— Можно. — Мне было приятно. Когда мужчины знакомятся с твоими детьми, это то же самое, когда тебя знакомят с его родителями.

Они поздоровались за руку, по-мужски.

Я подошла к организатору праздника. Рите Лернер. Хозяйке «BS-Agency».

— Журналистов нет? — подозрительно спросила я.

— Есть! — Она радостно кивнула, ошибочно предполагая, что это может меня обрадовать.

— Посмотри, чтобы Антона не снимали, — попросила я.

— Ладно. — Она удивилась, но профессионально не подала виду: желание клиента — закон. Не просто так ее агентство стало ведущим на этом рынке. Ни один праздник на Рублевке не обходится без «BS-Agency». И — как следствие — без журналистов.

Дети лепили фигуры из расплавленного шоколада. Антошка иногда подбегал к нам, вымазанный в шоколаде, счастливый и возбужденный.

— Только не ешь! — попросила я. — У тебя же аллергия!

— А там у всех почти аллергия! — радостно сообщил он. — Мы потом фигурки домой заберем! А когда будет можно — съедим!

— Ладно.

— Слепи маму, — предложил Александр.

— Ладно! — крикнул мой сын, убегая.

— А я ее съем! — договорил Александр громким шепотом, склонившись к самому моему уху.

— Почему у тебя нет детей? — спросила я.

— Значит, еще не встретил ту женщину, от которой хотел бы их иметь. — Он улыбнулся. — Или уже встретил.

— Ты куда?

— Пойду полеплю с ними. Обожаю шоколад.

Он вымазался в нем весь. Даже фартук — их выдавали всем желающим — не помог.

Рита отвела нас в служебную ванную и оставила от нее ключ.

Мы конечно же решили, что просто так смывать шоколад с рук — жалко.

— И расточительно, — уточнила я. Слизывая сладкую теплую массу с его пальцев.

— Это мое! — возмущался Александр, которому не доставалось почти ничего. Он целовал меня шоколадным поцелуем, и скоро я уже была такая же чумазая, как он.

Но мы обошлись практически без воды. И без полотенец.

Когда через полчаса мы спускались вниз, мы выглядели безукоризненно аккуратно.

Рита Лернер забрала ключ, не позволив себе даже намека на многозначительную улыбку.

Александр подарил мне цветы.

Антон внимательно изучал его.

— А ты даришь маме цветы? — спросил у него Александр.

— Нет... — растерялся мой сын.

— А что-нибудь даришь?

Антон пожал плечами. Обычно подарки дарили ему.

— Маме обязательно надо что-нибудь дарить, все время. И цветы, и всякие мелочи... Ты же мужчина?

— Мужчина. — Антон уверенно кивнул.

— А мужчина ты только тогда, когда женщина рядом с тобой чувствует себя женщиной. Понимаешь?

— Понимаю.

— А знаешь ли ты женщину прекрасней, чем твоя мама?

Похоже на объяснение в любви.

Антошка сосредоточенно думал.

— Не знаю, — ответил он, не слишком уверенно.

...Я укладывала его спать.

Он попросил у меня портрет Тимати.

— Можешь подстричь меня налысо? Как Тимати? — спросил он, обнимая застиранного медвежонка.

— Нет. Налысо — нет, — испугалась я.

— Почему? Я же мужчина.

— Все равно нет. Тебе надо подрасти.

— А если я подарю тебе завтра цветы?

— А если я выключу свет на ночь, раз ты такой большой?

— Нет! Не выключай!

— Вот видишь? Когда вырастешь настолько, что будешь спать без света, — тогда и поговорим.

Позвонил Алик.

— У меня нет визы! — кричал он в трубку.

— Какой? — не поняла я.

— Я в Марокко! Мне надо сойти на берег!

— И что? У тебя нет мультивизы? — Я ахнула.

— Ну конечно нет! Я вообще-то летел в Гватемалу!

— А яхта?

— Они идут дальше вдоль африканского побережья. В Антарктиду!

— Ужас.

— Конечно, ужас! Я не хочу в Антарктиду! У меня вообще, кроме шлепанцев, ничего нет!

— Я что-нибудь придумаю. Нужны знакомые в консульстве. Не волнуйся, ладно? Прошу тебя!

— Нет, я волнуюсь!

— Послушай, а как ты плыл две недели на этой яхте и даже не удосужился заглянуть себе в паспорт? На предмет визы? А?

— Тебе легко кричать на меня. Ты — в Москве.

— Я не кричу. Извини. Я что-нибудь придумаю.

— Обещай.

— Я постараюсь.

— Ты никуда не летишь? Лучше не надо.

Знакомство в консульстве оказалось у Ляльки. Причем она была последним человеком, которому я звонила по этому вопросу. Звонила уже без всякой надежды.

— Я в Танжере как-то месяц проторчала. У меня роман был. С одним арабом. Ну и консула, конечно, знаю. Он меня на все приемы приглашал, а то там знаешь какие все уродины?!

Мы приехали с ней к Черновым.

Ляля долго рассматривала фотографию черновского сына: смуглого, кудрявого в мелкий бес, любителя американских фильмов, травки и спортивных автомобилей.

— Ничего себе: голубые глаза! — воскликнула Ляля, и Чернова польщенно кивнула.

— А толку-то? Лучше бы в голове что-нибудь было. Из всех университетов повыгоняли, отец уже скоро плюнет на него.

— Есть что-нибудь вкусненькое? — Лялька открыла холодильник так, как будто была своим человеком в этом доме.

Чернова неодобрительно покосилась на нее.

— Вряд ли.

— А давайте в «Марио» пойдем! Так хочется чего-нибудь такого... вкусненького.

— Я буду пасту, — радостно согласилась я. — У них там есть фиделлини с камчатским крабом, супер!

Лялька заказала филе «Россини» с утиной печенью и черным трюфелем.

— Давай бизнес делать? — предложила она. — Ты у нас уже бренд, так что с пиаром проблем не будет.

Вино всегда заказывала Чернова. И жалеть об этом нам еще ни разу не приходилось. Способность разбираться в вине, умение подобрать его к конкретному блюду так, чтобы подчеркнуть вкус и того и другого, — это так же, как стиль или чувство такта: или оно есть, или его нет.

У Черновой все это было.

Мы пили «Giorgio Primo Chianti Classico DOC CG» 2002 года от Fattoria la Massa.

— А какой бизнес? — поинтересовалась я. Просто так, чтобы поддержать разговор.

— Девочки, вы оценили вино? — обиделась Чернова. — Элтон Джон заказывал его для своей вечеринки после «Оскара».

— Круто, — согласилась Лялька. — Можно делать одежду.

— Да ну, все делают одежду. — Я подозвала официанта и попросила еще воды. — Мой доктор говорит, что надо пить воду, если пьешь алкоголь. Для сосудов.

— А мы будем мужскую! Тебе мужчины в чем нравятся? — Она разглядывала официанта.

Официанты в «Марио» одеты очень элегантно. И очень галантно улыбаются посетительницам.

Только официанты умеют так галантно улыбаться. Но не все. И не везде.

В «Марио» на Рублевке умеют.

— Мне нравятся мужчины в дорогих костюмах, — сказала Чернова. — Особенно надетых на голое тело.

— Ты имеешь в виду латиноамериканских мужчин? — уточнила Лялька. — Или наших, пузатых, волосатых?

— Давайте еще бутылочку закажем? — предложила я.

— Такого же? — спросил официант.

— Такого же! — закричали мы хором.

— Нужно что-нибудь необычное, для мужчин, — настаивала Лялька. — И очень простое, типа палочек для ушей.

— Например, суперпалочки для ушей! — предложила я. — Из чистого золота.

— Нет, наоборот, что-нибудь простое...— Вторая бутылка кьянти «Giorgio Primo» незаметно заканчивалась. — Как... ну, не знаю... прокладки! Почему есть прокладки для женщин и нет прокладок для мужчин?

— И мое радостное лицо на рекламе, — резюмировала я.

Нет, резюмировала Чернова. Она попросила счет.

— Я подписала договор, — сказала я Кате. Она сидела на кровати, окруженная журналами и DVD-дисками.

— Я не могу здесь больше, — сказала моя подруга.

— Я отдала деньги. Надеюсь, все будет хорошо.

— Нет. Хорошо уже не будет.

— Перестань. Знаешь, у водителей есть такая примета: отправляясь в дорогу, они представляют себе, как выглядит конечная точка. Понимаешь?

Катя задумалась. Скинула на пол журналы.

— А ты представляешь конечную точку?

Я пожала плечами.

— А я представляю. Только она не в фокусе почему-то, наверное, зрение совсем сядет! — Она рассмеялась, а я облегченно вздохнула.

— Хорошо выглядишь, — сказала я. — Похудела.

— Еще бы не похудеть! Меня тут трюфелями не кормят!

— А где твой? — Я словно только что заметила отсутствие в комнате Катиного стриптизера.

— Мой... — Она неопределенно взмахнула рукой.

— Что, поругались? — удивилась я.

— Да ты что? — засмеялась Катя. — Придет он скоро. Не волнуйся.

Журналисты как с цепи сорвались. На всех первых полосах было написано про то, что я «заработала свой первый миллион».

— Ч-ч-через по-по-полгода вы до-до-должны сдать мне в-в-вторую к-к-книжку, — сказала Графиня Вишенка. — А мы на-на-начинаем PR-компанию в по-по-поддержку вашего б-б-б-ренда. И з-з-знаете что?

— Что?

Оказывается, миллион долларов запросто умещается в целлофановый мешок.

— До-до-добавляем че-че-человечности. Ни-ни-никто не п-п-п-одозревает, что вы ж-ж-женщина и мать. Все ду-ду-думают — ка-ка-карьеристка и ту-ту-тусовщица.

— Нет, про ребенка я не хочу.

— Но мы уже до-до-договорились с н-н-нескольkими обложками — вы с ребенком. В-в-вдвоем. Улыбаетесь в ка-ка-камеру.

— Нет, я не могу с сыном.

А если маньяк — она? Графиня Вишенка? Не зря у нее на столе постоянно эта черешня?

— Служба безопасности, которая занимается поимкой маньяка — меня преследует маньяк, — запрещает мне говорить о ребенке с журналистами.

Я внимательно смотрю ей в глаза.

— М-м-м-маньяк? — Она слегка приподнимает брови.

— Ага, — киваю я.

— А что он х-х-х-хочет?

— Хочет, чтобы я не притворялась фруктом, если на самом деле — овощ.

— О-о-о-ригинально.

Я вздохнула.

Новый год — особенный праздник.

Если бы я не стала писателем, я бы была Дедом Морозом.

Меня бы ждали в каждом доме, к моему приходу готовились бы и не обращали никакого внимания на то, что моя борода из ваты.

Никто бы не плакал, когда я уходила, потому что я бы никогда не уходила навсегда. Я бы всегда возвращалась. Через год. И может быть, даже с новой бородой. И — в любом случае — с целым мешком подарков.

Я была бы счастливым Дедом Морозом.

Мы склеивали с Антоном игрушки из картона и вешали на елку.

Александр принес золотистый спрей и блестящие нитки.

Мы покрывали все подряд краской из спрея и подавали «свежеиспеченные» игрушки Александру, который стоял на лестнице и прикреплял их к самой макушке.

Мы закрасили золотом все конфеты, деревянную вешалку, игрушечную машинку, плюшевого мишку, маленькую кастрюльку для молока и все остальные мелкие предметы, которые оказались у нас под рукой.

Антон еще позолотил свои подтяжки, и мы использовали их вместо гирлянды.

В качестве ответного жеста Александр позолотил свой ремень.

Им мы украсили верхушку. На модной пряжке блестели буквы DG: Dolce & Gabbana.

— Теперь у нас елка в тренде, — обрадовалась я.

— Мама, ты тоже должна дать какой-нибудь предмет! — возмутился Антошка.

Я сняла тапочек, и после легкой обработки спреем он занял почетное место между плюшевым мишкой и золотой конфеткой.

Неожиданно для нас Антошка позолотил фотографию Тимати, так что остались видны одни глаза, и тоже подцепил портрет на елку.

Мы посыпали все это вместе искусственным снегом, и Александр сказал, что это самая красивая елка в его жизни.

— И самая веселая, — добавил он.

— И моя, — сказала я, глядя ему в глаза.

— И моя, — согласился мой сын за компанию.

В прошлом году он забросил на верхушку елки футбольный мяч, в результате чего она рухнула и половина игрушек побилась.

В новогоднюю ночь Александр приготовил для меня омара по-каталонски и сибаса в шпинате с трюфельным соусом.

— Ну, я поехала, — сказала я своему бывшему мужу, после того как мы уложили Антона спать. В десять минут первого.

— Ты слышала, какой он сказал тост?

— Чтобы все желания исполнялись?

— Ага. Как ты думаешь, что он имел в виду?

Я убрала со стола посуду. Ира так до сих пор и не вышла на работу.

— Не знаю. Вообще-то он хочет быть фотографом.

Я доела салат из Антошкиной тарелки.

Бывший муж сидел, развалившись в кресле. Александр ждал у себя дома.

— Каким фотографом? Ты уже сейчас должна внушать ему, что он должен зарабатывать деньги. Зара-ба-ты-вать! Деньги!

— А ты в детстве кем хотел быть? — поинтересовалась я, стоя в дверях.

— Я? Не помню. Космонавтом, наверное.

— Так, может, лучше бы ты стал космонавтом, а? Может, ты бы тогда и не разорился; и с женой не развелся...

— Можно не доставать меня хотя бы в новогоднюю ночь?! — закричал он.

— Я уезжаю.

— А мне что делать прикажешь?

— Странно, что ты об этом спрашиваешь меня.

— А мне странно, что ты куда-то собираешься, когда мы празднуем Новый год дома.

— Нет, мы не празднуем! — тоже не удержалась и закричала я в ответ. — Мы просто собрались здесь ради ребенка! Но ребенок уже спит! И я уезжаю!

— Я тоже уезжаю! Не помню, чтобы ты так орала на меня, когда у меня были деньги!

— При чем тут деньги? Ты ничего не понимаешь!

— Вот для чего Антону надо зарабатывать — чтобы на него не орала его собственная жена!

— Спасибо за отличный праздник!

— Тебе спасибо! За приглашение!

В машине я чуть не расплакалась. Но при охране как-то неудобно.

Он обогнал нас на выезде из поселка. Мы едва успели взять вправо.

Охранники переглянулись.

— Никогда не ела ничего прекрасней! — похвалила я омара. По-каталонски.

Праздник — это когда много ешь, но при этом не испытываешь угрызений совести. Как в обычные дни, когда много ешь.

Обычно после Нового года я ем до февраля. С февраля я начинаю худеть и в свою обычную норму прихожу к марту.

Поэтому в Международный женский день (или как он теперь называется) я снова много ем. Без угрызений.

— За исполнение желаний! — сказал Александр.

— Совсем как мой сын. Он недавно такой же тост произнес.

— Конечно, он же мужчина. А мужчины должны заботиться о том, чтобы желания исполнялись. Это их главная миссия. Бери побольше трюфельного соуса.

— Я объелась. Это так вкусно! А какое у тебя желание? В чем твоя миссия?

— Моя? Наверное, готовить омаров по-каталонски, чтобы ты ими объедалась.

— Достойная миссия!

— Главное, что моя.

— Тогда за исполнение желаний!

Весь следующий день мы валялись в постели, смотрели фильмы братьев Коэн и доедали сибаса в шпинате. Причем сначала мы доели рыбу, а потом шпинат. После этого мы съели восемь упаковок чипсов.

Это был необыкновенный день. В нем не было ничего лишнего. Чипсы были хороши к братьям Коэн, братья Коэн — к плазменному телевизору «Panasonic», а телевизор — к постели. А постель, соответственно, к нам.

Я люблю плазменные телевизоры. Хотя бы за то, что на них нельзя поставить вазочку, картинку в рамочке и пару статуэток.

— Последний раз я ела чипсы, когда ты клеил меня в магазине, — сказала я между «Большим Лебовски» и «Неоправданной жестокостью».

— Да ты сама мне глазки строила! — Он ловко выхватил у меня последнюю чипсину прямо изо рта.

— Я? Глазки строила? Да я тебя даже не узнала!

— А... вот оно в чем дело... ты строишь глазки только знаменитостям? Так?

— Да я вообще никому не строю глазки! Я только что с мужем развелась! Мне все это вообще не интересно.

— Не интересно?

— Не интересно.

— Уверена? — Он схватил меня за горло и слегка придавил, не переставая улыбаться.

— Нет... — преувеличенно захрипела я. — Не уверена.

— Громче. Не слышу: уверена?

— Нет! — закричала я. — Не уверена!

— То-то же. И не мешай мне фильм смотреть.

— Это ты мне не мешай.

— Молчи!

— Сам молчи. Клуни какой красивый!

Александр покосился на меня угрожающе.

— Красивый, красивый! — упрямо повторила я.

— Красивый! — кричала я, когда он душил меня подушками.

— Красивый!

Он гонялся за мной по всей квартире, а я кричала:

— Красивый, красивый!

Я сдалась на кухне. Прямо на остатках шпината.

Мы перемотали «Неоправданную жестокость» на начало.

Мне позвонил Боков. У него агентство.

— Знаешь, есть такая компания «Сны і Секреты»? — спросил он.

— Магазины? — уточнила я. — Там, кажется, постельное белье?

— Не кажется! А самое лучшее! У них все звезды покупают.

— Ну и что? Они хотят прислать мне дисконтную карточку?

— Они хотят сделать тебя лицом своей рекламной кампании.

— Леш, что же ты мне сразу не сказал?!

— Вот я тебе и говорю.

— Сколько?

— Тебе надо встретиться, обсудить. Но бюджет там нормальный, не волнуйся.

Я хочу сделать мир чище, а начать очень просто! Это может сделать каждый: начните с собственной постели!

# 12

Мы приехали на шашлык к Черновым. Странно, что в этом году не все уехали в Куршевель.

По дороге мы захватили Лялю, которая сказала, что ей надо пару часов провести на воздухе. И не есть.

Я представила Александра.

Все суетились вокруг него так, словно я была старой девой и наконец-то пришла к своим друзьям с мужчиной.

Он помогал Чернову жарить шашлык.

— Между прочим, Александр отлично готовит, — похвасталась я, подливая масла в огонь, на котором Александр, надо сказать, без всякого смущения, жарился.

— Неужели? — воскликнула Чернова.

— А почему же он не приглашает нас на обеды? Я с удовольствием попробую что-нибудь вкусненькое... попозже... — Ляля кокетливо улыбалась.

— А я вообще считаю, что лучшие повара — мужчины, — сказал черновский сын. Он лежал в гамаке, закутавшись в меховые пледы.

— Это норка? — поинтересовалась Ляля.

— Да, отцу откуда-то из Сибири подгоняют, — ответил он.

— Не подгоняют, а охотники дарят, — поправила Чернова. Она была в белой пушистой куртке и чем-то напоминала мне Уитни Хьюстон. В ее лучшие годы.

Весь шашлык съели, и мы стали жарить картошку.

— Я уезжаю, — сказала Ляля. — Спасибо за компанию и за такого замечательного повара.

— А как ты поедешь? Хочешь, я дам тебе машину?

— Я могу подвезти, — предложил черновский сын. — Мне все равно в Москву.

Ляля взяла его под руку и кокетливо улыбнулась всем остальным.

Почему-то мужчины млеют, когда им улыбается Ляля.

Почему-то женщины на это не обижаются.

Женщины снисходительно посмеиваются.

— Ялечка у нас красотка, — говорят женщины. — Даром что блондинка.

Они уехали.

— В процессе взросления ребенка, — философски заметила Чернова, остужая в руках картофелину, — есть два самых высших этапа: когда он начинает ходить — и когда он начинает ездить. Берите картошку!

— Ездить?! — засмеялась я.

— Конечно! Тебе это только предстоит! Весь этот ужас с водителями, которые постоянно увольняются, потому что им кажется, что он невежливо разговаривает!

— А может, он действительно невежливо разговаривает? — спрашивает Александр.

— Может, — она пожала плечами. — Но это такой возраст. Он и с нами не всегда вежливо разговаривает... Если вообще разговаривает.

Мы отвели Антона в кино.

Вышел новый «Гарри Поттер».

— Теперь я книгу прочитаю, — пообещал мой сын.

— Ты что? Она такая толстая! — воскликнула я.

— А я всю жизнь ее буду читать, — ответил он.

Хозяйку «Снов і Секретов» звали Ирина Данилина. Эффектная длинноногая блондинка.

Я поверила в то, что у них лучшее постельное белье, после того как встретила Ольгу Слуцкер, подбирающую себе новые простыни.

— Я хочу сделать мир чище, — говорила Ирина, несколько экзальтированная особа, — а начать очень просто! Это может сделать каждый: начните с собственной постели!

Оказывается, подушки надо раз в год менять. В них заводится клещ. За границей есть специальные химчистки, а у нас — нет.

— А потом девушки удивляются, откуда у них морщины! — Ирина проводит рукой по своему лицу. Делает эффектную паузу.

— Ну да, у вас нет, — соглашаюсь я. — Это что, из-за наволочек?

— Из-за наволочек тоже!

Листаю каталог, неожиданно для себя узнаю картинку: розовый куст, голубой букет.

— «Японские сны», — говорю я небрежно. — Любимое постельное белье одного моего знакомого.

— О! Ваш знакомый из тех, кто относится к себе с уважением! — восклицает Ирина Данилина, и я смотрю на нее с благодарностью. Как будто это я купила эти «Японские сны».

— Обратите внимание, — говорит Данилина, бросая мне на колени тончайшие ткани, — микромодал, сделано из специально обработанных волокон бука...

Я трогаю простыни, и мне уже хочется в них завернуться, и мне уже кажется, что глаза мои закрываются, что я маленькая, я засыпаю, и мне так уютно...

— Между прочим, — Данилина вкусно хрустит зеленым яблоком, — Боков говорит, что на микромодале у него всегда стоит!

Я поднимаю глаза на Данилину, она улыбается.

А Александр купил «Японские сны»...

— Мы открываем пятьдесят магазинов в регионах, — говорит Ирина. Она скидывает телефонный звонок, одновременно листая еженедельник. Она уже не мечтает о чистоте мира, она — обычная деловая женщина. — И нам, естественно, нужна PR-поддержка. Что у вас в среду? Предлагаю встретиться еще раз, пока юристы будут улаживать формальности.

Когда я выходила, Ольга Слуцкер разговаривала по телефону у кассы.

— Я буду лицом компании «Сны і Секреты», — позвонила я Регине.

— Ой, вот здорово! Я уже так по всем соскучилась! Завтра приезжаем.

Я ужинала у Александра.

В этот раз на столе красовалась печень по-венециански.

Мне бы хотелось каждый день приходить в эту квартиру и есть то, что для меня готовит мой любимый мужчина.

— Я люблю тебя, — сказала я. — Меня никто и никогда так вкусно не кормил.

— И я люблю тебя, — сказал Александр. — А мне никогда и никого не хотелось кормить.

Мы помолчали.

Я положила в тарелку еще немного печени.

— Только когда тебе надоест, ты мне скажи, — попросила я.

— Что? Готовить? — уточнил он.

— И то и другое.

— Хорошо. И ты тоже.

— Договорились.

— Еще до того, как об этом узнают твои подружки.

— Ладно. Обещаю. А ты скажешь мне еще до того, как тебе захочется переспать с другой женщиной.

— Фи, какая гадость. Алло.

У него редко звонил телефон.

Это мой мне приходилось отключать.

— Да нет, — ответил он сдержанно, — не передумаю. Нет. Конечно, я ценю. Спасибо. Нет, не принципиальная... Хорошо, позвоню. Не звонил, потому что нечего было сказать — мое решение остается прежним. Ладно. Спасибо. Пока.

— Что это? — поинтересовалась я, отправляясь на кухню за кофе.

— Да так...

— И все-таки? — почему-то настаивала я.

— Да насчет работы... — ответил Александр с раздражением.

Я поставила перед ним чашку с капучино.

— Работы? — обрадовалась я. — Какой?

— Телевидение. Да это не в Москве.

— Не в Москве? А где?

— Ты как в анекдоте, помнишь? Когда грузину говорят, что у него не мальчик. «А кто?!» — Александр произнес это с забавным южным акцентом и штопором поднял палец к потолку.

— Ну, ладно, где?

— Краснодарский край. Я тебе говорил.

— И что?

— Там телевидение зовут поднимать.

— А ты не хочешь? Потому что не в Москве?

— Потому что телевидение, — отрезал мой любимый мужчина.

— Хочешь еще кофе? — улыбнулась я.

Он благодарно улыбнулся мне в ответ.

Моя мама послала папе SMS с объяснением в любви.

— И картинку, — гордо рассказывал папа, — амур со стрелами.

— Здорово, пап. Может, вы к нам заедете?

— Заедем. Я-то сразу с дачи примчался, как этот SMS получил... подожди, мама хочет что-то сказать!

— Алло!

— Да, мамочка, привет!

— Он теперь всем звонит и рассказывает, что я ему SMS прислала! — возмутилась мама, но было ясно, что ей приятно.

— Я так поняла, и графическое изображение тоже?

— А что такого? Меня Антошка научил! Сейчас вообще это модно.

— Мам, заедете в гости?

— Завтра. А то мы сейчас в ресторан собираемся. В «Паризьен». Там какая-то презентация, а мне у них вообще нравится. Кальянчик покурим...

— Ты куришь кальян?

— Только не делай вид, что ты не куришь! Мне в «Паризьене» все про тебя рассказали!

Мы подписали договор со «Снами і Секретами». Во «Fresco».

Самое уютное место в Москве зимой.

Данилина была в красивом платье, и я в очередной раз дала себе слово не выезжать из дома в спортивном костюме и без укладки.

— Теперь буду спать только на вашем белье, — пообещала я.

— Не забывай про полотенца. — улыбнулась Ирина — Между прочим, их закупает у нас «World Class».

— Спасибо, — сказал Алик, позвонив, как обычно, ранним утром, — мне поставили визу. Уж не знаю, как тебе удалось договориться, но мне ее чуть ли не на блюдечке с голубой каемочкой принесли.

— Это Ляля. Моя приятельница, ты ее не знаешь. Кстати, познакомлю. Светская львица, мужчины сходят по ней с ума.

— Тогда не надо. Я сейчас отправляюсь на пароме, в Альхесирас. За 37 евро через Гибралтарский пролив. Демократично, правда?

— Я даже не верю, что ты когда-нибудь доберешься до Москвы.

— Ты никуда не летишь?

Мы забирали Катю из больницы.

Уголовное дело все еще не было закрыто, нога оставалась в гипсе.

Ее провожали почти все медсестры. Она шутила по дороге, но у нее получалось зло и беспомощно.

Она отталкивала костылем стриптизера, когда он пытался помочь ей сесть в машину.

Дома ей стало легче, она развалилась на кровати, поставив рядом парочку шкатулок и высыпав прямо на покрывало спутанную горсть пластмассовых бус.

— Хочу торт «Наполеон», — заявила она, — из «Причала».

— Пробки... — нахмурился стриптизер.

— Хочу! — Катя нахально смотрела ему в глаза.

— Ладно, я привезу. Может, тебе чаю налить?

Позвонил Сан Саныч.

— Куда это ты пропала? — поинтересовался он.

— Я не пропала. Я здесь.

— Значит, это он пропал? Звонков больше не было?

Катя аккуратно наклеивала на гипс разноцветные бусинки.

— Не было. Тьфу-тьфу-тьфу. Что бы это значило?

— Может, он умер?

— Ну, серьезно?

— А я что, не серьезно? Представляешь, кирпич на голову упал...

— Ты только не плачь!..

— А вообще сейчас сезон такой...

Катина нога стала похожа на арт-объект. Усыпанный синими, желтыми и красными камешками, гипс становился мечтой для всех, у кого ноги были не переломаны.

— В смысле?

— Все в Куршаве.

— Кто все? Маньяки?

— А что, маньяки, по-твоему, на лыжах не катаются?

— Здорово.

— Приедет, отдохнувший, загорелый, и с новыми силами...

— Очень весело.

— Ладно, не бойся. Мои ребята там нормально работают?

— Ну... вроде нормально.

— И знаешь что еще?

— Ну что?

— Не целуйтесь вы перед калиткой, ладно? У меня же там камера!

Я, наверное, покраснела.

— Ладно.

Представила себе наши лица крупным планом. А у него со звуком пишется? Мы же могли шептать друг другу какие-то слова.

Катя мрачно рассматривала свою нарядную ногу.

Я забралась к ней на кровать, обняла ее.

— Может, мужу позвонить? — произнесла она.

— Конечно! Он тебе это дело мигом закроет, тем более что деньги мы уже дали.

Часть моего гонорара. За книжку, которая еще не написана.

— Да деньги для него не важно, — отмахнулась Катя. — Дашь телефончик?

Я принесла из гостиной трубку.

Катя давно ему не звонила. Когда началась эта история с фотографией в желтой газете и он собрал свои вещи (вернее, попросил домработницу и прислал за чемоданом водителя), Катя звонила ему довольно часто. Раз пятнадцать в день. И ночью. И посылала ему SMS. Она пыталась объяснить ему, что этот актеришко (ведущие роли во всех сериалах) ничего для нее не значит, что это просто кризис среднего возраста, или она была пьяна, или она вообще не понимает, как это произошло. Он не брал трубку. Она кричала ему это на автоответчик. Он его отключил.

— А ты не знаешь, у него сейчас кто-то есть? — спросила я очень осторожно.

— Конечно, есть. Какая-то малолетка. Они же целыми толпами каждый день приезжают на Киевский вокзал! Все, тихо, набираю...

Катя напряженно ждала ответа. Даже я стала дышать пореже.

Вдруг глаза ее вспыхнули радостно, и почти одновременно — испуганно.

— Привет! — сказала она и улыбнулась. Так улыбается человек, вернувшись домой из долгой поездки.

— Привет. Я отправлю тебе Морковку вечером. Или что-то изменилось?

По его голосу можно было решить, что он занят или, например, на совещании... Но была суббота.

— Нет, нет, твоя секретарша звонила мне — все правильно. Просто я хотела тебя попросить...

Он молчал.

— Слушай, у меня неприятности...

Он молчал.

Катя начала нервно отрывать бусинки с гипса.

— Ты, наверное, знаешь... я была нетрезвая за рулем... в общем...

— Я знаю, — сказал он.

— Там уголовное дело...

Уже почти все разноцветные бусинки, с остатками клея, валялись на покрывале.

— Я знаю, — перебил он нетерпеливо.

— Ты мне поможешь?

— Положить тебя в наркологический диспансер?

Теперь молчала Катя.

— Или ты хочешь, чтобы я познакомил тебя с какой-нибудь восходящей звездой? А? Может быть, с акробатом? Или исполнителем хип-хопа?

Катя моргнула, и из ее глаз вывалились слезы. Именно вывалились. Огромные и прозрачные. Они упали на скулы, переносицу и подбородок.

Он положил трубку.

— Так противно, — всхлипнула Катя. — Так противно чувствовать себя беспомощной.

— Не поможет? — спросила я.

— Нет. — Она снова всхлипнула. — Но я все равно не пью. Все равно! А знаешь, как хочется!

Она упала на кровать, закрыла лицо подушкой и лежала, иногда вздрагивая и дергая плечами.

Я наклеила бусинки обратно на гипс.

— А я не хочу торт, — грустно сказала Катя стриптизеру, когда он вернулся. — Я хочу бефстроганов.

Я сидела в гримерке на телевидении. Меня красила старенькая, с пергидролью на голове тетенька. Она раньше работала на «Мосфильме». Я таким очень доверяю, они обычно оказываются настоящим профи. Тем более что моя Наташа все еще где-то катается на лыжах. Хотя вся Москва вернулась еще неделю назад.

Открылась дверь, и вошла уборщица.

— Занята? — спросила она мою гримершу.

— Работаю, — ответила та.

У меня зазвонил телефон. Регина. Она вернулась к работе.

— Тебе надо будет приехать заранее, выбрать вечернее платье, — сказала Регина.

— Ты посмотрела размельчитель? — спросила уборщица.

— Хорошо, приеду. А украшения?

— Посмотрела. Ты редьку на нем пробовала? — Гримерша высветляла мне глаза и скулы.

— Они хотят огромные бриллианты. В уши, на шею колье, перстни на каждый палец... — Регину, похоже, завораживали собственные слова.

— И редьку, и морковку, и картошку для жарки, а сноха даже капусту там делает, для закваски.

— Регин, на кого я буду похожа во всех этих бриллиантах? Новый год вроде уже прошел.

— И капусту? А у меня шинковочная доска, я уже приноровилась. Но все равно спасибо тебе.

— У них концепция такая. Всего too much. А бриллианты выберешь сама, какие понравятся. Ну что, даю им добро?

— Пользуйся на здоровье. А я еще фруктовое пюре делаю. Меня Саша научила, из реквизитной.

— Ну, ладно. Давай снимемся. Okay.

— Ладно, спасибо, извини, потом посмотрю, видишь — работаю.

— Это ты извини, я пошла.

Уборщица вышла, я покосилась на «размельчитель».

Картонная коробка стояла на окне.

Гримерша красила мне ресницы.

— Я еще раньше в Питере работала. На телевидении. В «Новостях». А там же только по пояс снимают. Так у нас ведущая однажды прибегает, — она накладывала помаду на губы и рассказывала, — снимает сапоги, а ноги — черные! Вот смех! И с черными ногами весь эфир отработала! Сверху улыбочка и белая блузка, снизу — черные ноги! Ха-ха!

Я подняла на нее глаза с немым вопросом, и гримерша правильно поняла его.

— Она нам рассказала: проспала, вскочила, прямой эфир, по всей квартире не смогла чулки найти, а время-то поджимает! Она обернула ноги газетой — и в сапоги! А газета-то пачкается!

Снова Регина.

— Слушай, журналисты замучили — спрашивают, куда ты свой миллион денешь? Давай им что-нибудь придумаем?

— Давай. Скажи, что я остров покупаю. Небольшой такой островок. На Карибах. Со своей вертолетной площадкой. А вертолет мне ухажер подарил. Тайный.

— Круто! Им понравится.

— Вот такая история! — сказала гримерша, отойдя на два шага и разглядывая меня в зеркало. — Ну, вроде все?

— Все. Спасибо.

Я принимала участие в ток-шоу на тему «Почему дети не слушаются своих родителей?».

Я сказала, что это потому, что родители не слушаются друг друга.

Позвонил Александр и сообщил, что у нас на ужин бычьи хвосты.

— Ты меня пугаешь, — засмеялась я.

— Это только начало, — пообещал он.

Я сказала мужу, что хочу выкупить дом из ипотеки.

— Зачем? — спросил он, как всегда таким тоном, словно я готова совершить очередную глупость.

— Я хочу быть уверена в завтрашнем дне. У меня ребенок, между прочим.

— У нас, — поправил он.

— У нас, — согласилась я.

— Я выплачиваю за дом! Это не должно тебя касаться!

— Это меня касается. Я хочу жить в собственном доме.

— А я хочу, чтобы моя семья жила в моем доме!

— Во-первых, я не твоя семья, во-вторых, ты можешь пойти и выкупить его сам! Пожалуйста! Я не против! А в принципе ты мог его сразу купить! Полностью! А не оформлять в ипотеку, чтобы держать меня на коротком поводке!

— Все сказала?

Он положил трубку.

Я набрала его номер снова.

— И не смей швырять телефон! — заорала я. — Те времена, когда это тебе сходило с рук, прошли!

Он снова отключился.

Идиот! Жалкий в своем бессилии! У него даже не хватает мужества принять ситуацию достойно: он разорился, а я выкупаю дом, в котором живет его сын.

Александр порекомендовал мне адвоката, который обещал утрясти формальности за несколько дней.

— Пожалуйста, скажи Регине, чтобы мне больше не слали пригласительные, — попросила мама, — а то папины газеты в ящик не умещаются!

— А ты что, больше не хочешь ходить на тусовки? — почему-то испугалась я.

— Пока нет. Что я там не видела? Все одно и то же. Сделаю перерыв — пусть меня подзабудут, — а потом неожиданно появлюсь.

На самом деле ей просто было достаточно тех эмоций, которые она получила за эти несколько месяцев активной светской жизни.

Она постоянно рассказывала папе истории:

— Я нормально себя чувствую, когда на меня смотрят со всех сторон. Когда я пришла на показ купальников в лиловом, фотографы не поняли, кто здесь модель!

И не только папе.

Или:

— Захожу я на презентацию, кругом одни и те же лица, вдруг чувствую, кто-то смотрит на меня. Подходит. Симпатичный такой мужчина. Оказывается, журналист. Говорит: «Я потрясен! Вы не можете быть ее мамой! Вы слишком молоды!»

Я подарила папе машину «BMW X3», на следующий день он побрился наголо.

Антон был в восторге.

— Как Тимати! — шептал он зачарованно. — Дедуля, ты стал совершенно как Тимати!

И поставил фотографию лысого дедушки рядом со своей кроватью.

— Под такую машину я был обязан подстричься, — заявил мой помолодевший папа. — Зато теперь, на «X3», с такой прической и, главное, с такой женщиной... — мама отмахнулась, — я чувствую себя настоящим мачо!

— Мужчиной, — вздохнул Антон. Одобрительно.

Мы все вместе пошли в «Марио». Который рядом с моим домом, на Рублевке.

— Может быть, ты познакомишь нас со своим молодым человеком, — попросила мама, — а то Антон нам столько о нем рассказывал...

Я позвонила Александру.

— Ты только не пугайся, — попросила я. — Мои родители хотят с тобой познакомиться.

— Ужас.

— Ну, не хочешь, не приезжай.

— Приеду, приеду. Вы где?

— В «Марио»... Алло?

— Понял. Сейчас буду.

Я долго изучала меню.

К тому моменту, как приехал Александр, у меня было к нему несколько вопросов.

— Потрясающе выглядите, — сказал Александр, целуя маме руку, — я, конечно, слышал, но поверить в то, что можно оставаться такой молодой и красивой... это точно твоя мама?

— Точно, — улыбнулась.

— Ты меня не обманываешь? — шутливо уточнил Александр.

— Я-то тебя нет, — многозначительно произнесла я.

Он бросил на меня быстрый взгляд, пожал руку папе и Антону и сел рядом.

— Хочу сказать тебе, что мы заказали, — так же многозначительно улыбнулась я и открыла меню.

— Антон, помой руки! — сказала мама.

— Омар по-каталонски для мамы, — зачитала я торжественно, — бычьи хвосты для папы, печень по-венециански Антону, сибас в шпинате с трюфельным соусом для меня.

— Отличный выбор, — похвалил Александр.

— Ты находишь? — спросила я.

— Конечно. — А потом обратился к маме: -- Мне почему-то кажется, что вы очень вкусно готовите.

— Я? Ну, готовлю, конечно. Папе нравится.

— Да, мне нравится, — гордо сказал папа.

Подошел официант.

— Будьте добры, теплый салат с морепродуктами, и, я думаю, будет неплохо «Terre di Franciacorta Chardonnay» от Ca`del Bosco.

— 2003 года? — поинтересовался официант.

— Конечно, — кивнул Александр. — Возражений нет?

— Нет, на ваш вкус, — улыбнулся папа.

— У меня немного болит голова, — покосилась мама на бутылку.

— Сделайте глоток, и все пройдет. Я вам обещаю, — улыбнулся Александр и поднял бокал. — Какое счастье, что в этом мире еще есть вечные ценности!

— Ну, а ты? — Я никак не могла успокоиться. — Умеешь готовить?

Мама удивленно подняла на меня глаза. По моему тону она поняла, что этот вопрос я задала не просто так.

— Я умею! — сообщил Антошка. — Вареники! Я сам леплю!

— Везет! — сказал Александр. — А я нет. Вообще. Даже яичницу, наверное, себе не поджарю.

Официант принес наш заказ.

— А, например, омара по-каталонски? — спросила я, кивнув на мамину тарелку.

— Никаких шансов, — ответил Александр. — Да и зачем? Это все отлично готовят в «Марио»!

— Потрясающе! — похвалил папа бычьи хвосты.

— А я не хочу печенку, — сказал Антон, — я ее вообще не люблю.

Вино было очень хорошим. Я это поняла по тому, что расслабилась и перестала злиться на Александра за то, что он мне врал. Про свои кулинарные способности.

— У тебя в телефоне есть фотоаппарат? — спросил Александра мой сын.

— Есть.

— А хочешь, я всех сфотографирую?

— Давай.

Мы подняли бокалы и замерли.

— Готово. Хорошо получилось, — похвалил Антон.

— А ты говорил, что твоя миссия — готовить для меня еду, — грустно сказала я вечером, когда мы прощались. Я осталась дома из-за родителей.

Мы стояли, не доходя до калитки, чтобы не попасть в объективы камер наблюдения.

— А что я еще мог сказать? — так же грустно спросил Александр.

Я обняла его и крепко прижала к себе.

— Хочешь, я поеду с тобой в Краснодар? — неожиданно для самой себя спросила я.

— Нет, — он покачал головой.

— Не хочешь, чтобы я поехала или чтобы в Краснодар?

— Чтобы в Краснодар. А с тобой — хоть на край света. Я тебя люблю. — Он говорил очень тихо и все так же грустно.

И это было так необычно и так трогательно.

Чаще всего мы хихикали и поддразнивали друг друга.

— И я тебя люблю, — сказала я. И добавила: — Очень.

Я верю в бога Весны! Вернее, в богиню.

Во всех газетах было интервью певицы Василисы о том, что ее роман с продюсером закончился. Потому что он ее бил.

В желтых даже приводились подробные описания, сколько раз в неделю и по каким частям тела.

— Ну не сука ли?! — возмущалась Марина Сми.

— А что ты хотела? — уговаривала я ее по телефону. — Вы же объявили о своей свадьбе, не могла же она стать «брошенкой»? Она же звезда!

— Таких звезд знаешь сколько?

— Подожди, у меня Регина на второй линии... Алло. Привет! Ты утвердила фотки в «Marie Claire»?

— Нет, а они хорошие?

— Хорошие.

— Утверждай.

— Ладно. Еще газета «На Рублевке» хотела...

— Слушай, где я и где газета «На Рублевке»?

— Отказываемся.

— Все, целую, у меня там Марина висит. Ты читала Василисины интервью?

— Читала, вот врет! Кого он, на фиг, бил? Он же мухи не обидит?!

— Василиса все-таки не муха, а звезда!.. — сказала я поучительно и отключилась от Регины.

— Слушай, перезвоню! — закричала Марина. — У меня тут журналисты комментарии просят!

— Что скажешь?

— Скажу, что не раз видела бедную Василису с синяками, но обычно это было после того, как она просила или новую шубу, или новую машину!

— Хм.

— Все, перезвоню!

Марина замечательно манипулирует общественным мнением.

После пары статеек, где фотограф запечатлел Марину в обнимку с продюсером, отрицать их связь стало бессмысленно. Наличие у них общего ребенка, что опять-таки стало достоянием общественности, сподвигло продюсера сделать Марине предложение.

И вот все довольны: у Марины — свадьба, у Василисы — шумиха вокруг ее имени, у продюсера... впрочем, что у него — не так важно.

Я, наверное, язычница. Я верю в бога Весны! Вернее, в богиню. Я ей поклоняюсь, я даже готова приносить на алтарь жертвы: раньше просыпаться и не есть после семи!

Дрогнул лед в «Причале».

Мы стояли, взявшись за руки.

— А если бы у тебя там было какое-нибудь ток-шоу, я могла бы стать ведущей, — говорила я.

— Тебе же не нравилось работать ведущей, — удивился Александр.

— Но... вместе с тобой... Я бы попробовала.

— Так! — Он приподнял мой подбородок указательным пальцем. — Ты что же, считаешь, что я без тебя ток-шоу не смогу сделать? А?

— Ну почему не сможешь? Я этого не говорила. Но со звездой всегда легче.

— Какая глупость! Меня такие ток-шоу не интересуют! Которые легче, потому что со звездой!

— А какие тебя интересуют? — спросила я хитро. Еще недавно его не интересовали вообще никакие.

Он посмотрел на меня исподлобья, по-мальчишески.

— А что, может, правда наладить им там телевидение? Они ведь полный карт-бланш предлагают!..

— Конечно! А через пару лет — в Москву!

Он молчал.

— Ну, что? — торопила я.

Он взял меня за руку.

— Пошли, нам, наверное, уже еду принесли.

Позвонил Алик.

— Я в Мадриде! Еду на автобусе в Барселону!

— Здорово! Давай скорей! Мы все тут соскучились! А Марина замуж выходит!

— Поцелуй их за меня! Давно пора. Ты никуда не летишь?

Кате сняли гипс.

— Понимаешь, — она принесла мне чай в тоненьких розовых чашечках, — он просто по телефону не хотел ничего говорить. Он сказал, что вообще только дуры обсуждают такие вопросы по телефону.

— Логично, — согласилась я.

Чай был из мяты. Вкусный.

— Так что дело закрыто. Ура! И родственникам, он сказал, сам денег даст.

— Мы же уже отдали.

— Не знаю. Он сам с ними встретится. Ну, или там его юристы, не знаю.

— Здорово.

— Да, и тебе деньги он отдаст. Спасибо.

— Да ладно.

— Знаешь, очень приятно, когда о тебе заботится настоящий мужчина. Как-то сразу спокойно так.

Стриптизера не было.

— Может, у вас еще все наладится? — вздохнула я.

— Не знаю. — Она улыбнулась — Попробуем.

Я снялась для «Снов і Секретов» и ехала домой.

Там меня ждали родители.

А если мы и правда уедем жить в Краснодар, как же моя мама?

Наверное, родители будут ко мне приезжать.

Минуточку, остановила я себя, что значит «а если и вправду»? Я же сама все делаю для того, чтобы мы уехали. Чтобы он начал работать. Чтобы поверил в себя.

Хотя он уже поверил. Так приятно на него смотреть, когда он загорается какой-то идеей. Я уже даже иногда ревную его к телевидению.

А как будет Антон учиться в краснодарской школе? Имею ли я право забрать Антона из Москвы, от лучших учителей, и увезти в провинцию? Ради Александра?

Нет, ради нас двоих.

Что скажет мама?

Зато в Краснодаре хороший климат. Я буду там писать книжки. «Краснодарская осень».

Лялька сообщила, что у нее дурацкий роман.

— А зачем тебе дурацкий роман? — резонно поинтересовалась я.

— Ты что? — возмутилась Лялька. — Главное счастье в жизни — это когда ты можешь себе позволить дурацкие романы!

— Я в Барселоне! — сообщил Алик. — Еду в Берлин! А оттуда поездом — домой! В Москву!

— Я никуда не лечу, — сказала я. — Жду тебя.

которую будет ловить мой сын.

Буду встречать любимого вечером с работы

ноль
ноль

и не обращать
внимания
на местное
светское общество...

Мы сидим в «GQ».

Пьем «Laurent-Perrier» за мой отъезд.

В то, что я решусь на это, долго никто не верил. И я сама тоже. Но теперь мы уезжаем — я, Антошка и Александр. И наверное, я счастлива.

Я научусь жарить рыбу, которую будет ловить мой сын. Буду встречать любимого вечером с работы и не обращать внимания на местное светское общество, которое наверняка решит: приехала из Москвы и выпендривается.

Хотя я так и не выяснила, можно ли там ловить рыбу.

И есть ли там светское общество.

Но рыба и светское общество есть везде.

Еще я буду писать книги. Хорошие и добрые книги.

А краснодарцы организуют фан-клуб из моих поклонников.

Но потом мы, надеюсь, вернемся в Москву. Мы въедем в нее победителями. На белом коне. Я и мой муж Александр.

Мы поженимся в маленькой церквушке на берегу моря.

В Краснодаре нет моря и уже давно не женятся в церквушках.

Но загс-то у них наверняка имеется.

И Александр возглавит какой-нибудь ведущий российский телеканал.

А я, может быть, стану режиссером, и мы будем крутить мои фильмы на своем канале.

И еще, пожалуй, начну пить воду и зеленый чай.

Чернова опять не оценила по достоинству Катину фигуру (согласно легенде, каждый день Катя худела на 1,5 кг). Настроение Кати векторно меняется. Соответственно Катиному настроению меняются и тосты.

— За ту суку, — провозглашает Катя, — которая дала фотографию в газету! И разбила мою счастливую семейную жизнь! — Она окидывает нас всех тяжелым взглядом. — И можете не вставать!

- Прекращай! — говорит Марина Сми. — Ты потрясающая женщина, и муж твой, кажется, об этом вспомнил.

— Уже почти сорок лет я потрясающая женщина, — перебивает ее Катя, — пора бы мне стать потрясающим человеком!

— Ты потрясающий человек, — говорю я. — И мы тебя очень любим.

— Странно, не пьешь, а в любви объясняешься.

— Это Чернова не пьет. Ты путаешь.

Чернова заказала кофе и куантро.

— Ты чего такая грустная? — спрашивает Марина, сдвинув брови «домиком». Сочувственно.

Чернова сосредоточенно смотрит в кофейную чашку. Как будто гадает. Или угадывает что-то очень важное. Задумчивая серьезность плохо сочетается с ее внешностью. Хотя ее вполне можно представить шаманкой, в ритуальном танце топлес перед костром.

— Девочки, дайте минутку. Приду в себя и все расскажу.

— Обрати внимание на пепельницу! — Марина честно старается ее развеселить.

В пепельницах «GQ» нет ничего особенного. Они даже не смешные. Просто семейство Черновых коллекционирует ресторанные пепельницы. У них их штук двести. Со всех концов земного шара. Маленькие, которые умещались в карман, тяжелые, которые надо было незаметно опустить в сумочку, бронзовые, деревянные, хрустальные и пластмассовые. Дизайн не имел никакого значения, хотя и вызывал неизменное умиление хозяев. Главным в коллекции было их количество.

Чернова скользнула взглядом по громоздкому сооружению из стекла. Равнодушно.

— Девочки! — Высокая блондинка в короткой замшевой юбке и белой блузочке с рюшами расцеловалась с Мариной и лучезарно улыбнулась всем остальным.

Под ее фотографиями в светской хронике обычно пишут: «светская львица». До сих пор. Она почему-то не развивается по обычной в таком случае схеме: светская львица → дизайнер → телеведущая → писатель. Но поскольку прогресс охватывает все составляющие человечества, то чаша сия в итоге не минует даже блондинок. А лет через пять следующим звеном цепочки (не то чтобы очень логической) станет, например, профессия «политик». И наши светские львицы догонят западных порнозвезд. Наконец-то!

Хотя я почему-то развиваюсь в обратном направлении. Впервые появившись на страницах глянца как автор книги, теперь частенько встречаю под своей, как правило, неудачной фотографией подпись: «Писательница и светская львица».

Блондинка — светская львица рассказывает историю:

— Прихожу к гинекологу. Профессор. А он мне: «Здрасьте, мы с вами знакомы, вместе за одним столом сидели, вино пили!» Я думаю: «Очень «приятно»... Сейчас я на кресло сяду, а потом мы опять где-нибудь в светской компании...» А он все время по-английски что-нибудь — «how are you» — и все такое. Говорит: «Раздевайтесь, туфли можно не снимать». А я на таких каблучищах, в стиле Памелы Андерсон! Залезаю в кресло. Представляете? В туфлях! Ноги в разные стороны! А он смотрит — «nice, nice» говорит. Потом коллег позвал. А коллеги все армянской национальности! И все смотрят! На достояние Москвы! И головами кивают. И причмокивают: «nice». Я им говорю: «Может, анализы возьмете?» Какое там! 300 евро еще с меня взяли! За такую красоту!

За столиком прямо у входа сидит моя знакомая с подругами. Ее зовут Оля. У нее модный магазин, модная блузка и недоеденные лангустины. Надо поблагодарить Олю за платье, которое я взяла для съемки в «L'Officiel».

Подсаживаюсь к ним. Отличный столик —

всех видно. Но я не люблю у входа. Я люблю у рояля.

За соседним столиком — на маленьком диванчике — мужчина с девушкой. Он целует ей руки и заглядывает ей в глаза.

Окружающие косятся на них.

— Помощник Абрамовича, — заговорщицки сообщаю Оле.

— А она кто?

Пожимаю плечами.

— Лохушка какая-то, — подытоживает одна из Олиных подружек. — А он ничего, симпатичный. А она прямо ужас. Ну, не то чтобы ужас-ужас, а просто ужас. А он... я бы влюбилась!

— Представляешь, — говорит Оля, — мы уже два с половиной года встречаемся, а я до сих пор не знаю, есть ли у него дети.

— Да? Это очень странно. — Пытаюсь вспомнить, с кем же встречается Оля. Конечно, вспомнить не удается. — А ты не можешь как-нибудь выяснить?

— Вот еще! Мне и неинтересно! — Оля доедает лангустина. — Буду я себе голову забивать всякой ерундой! Я лучше подумаю о том, какой помадой мне губы накрасить.

За столиком у стенки тоже знакомые. Пересаживаюсь к ним.

— Смотри, — киваю на тот романтический столик, где мужчина без устали целует девушке руки.

— Кто она? — спрашивает Анна, пластический хирург. По крайней мере, так написано на ее визитке. Хотя ее визиткой вполне смог бы стать ее собственный нос. Если это, конечно, ее работа.

— У нее деревообрабатывающие заводы в Сибири. А он так — неудачник какой-то.

— Она красотка, — авторитетно говорит Анна, — а ему бы уши прижать не помешало. И верхнее веко слишком тяжелое. И вообще, что на нем надето? Вот девки! На всех подряд уже вешаются!

— У меня верхнее веко не тяжелое? — беспокоюсь я.

— А у меня? — интересуется приятельница Анны, ковыряясь вилкой в салате.

— Нет, девочки, — Анна успокаивает всех так, как только и может успокоить пластический хирург. — Вы — чемпионы породы!

У Анны выставочный бордосский дог. Так что в породе она точно разбирается.

Возвращаюсь за наш столик. Катя без устали рассказывает Регине о том, что она сделает с той журналисткой, которая подло раздобыла где-то ее фото с актером.

— Нет, ну вот ты — можешь найти мне эту журналистку?! — нетрезво интересуется Катя.

— Я? Могу! Это какая была газета? — Регина листает свою тетрадку.

— А как? Они же там фамилии-то свои не пишут! — Катя в азарте.

— Тебе вообще это надо? — Марина подает реплики в нужный момент, как профессиональная теннисистка теннисный мячик.

— Мне? — Катя размахивает стаканом, как будто в руке у нее знамя. — Надо! Еще как! Я ее уничтожу! Я ее... Я ей горло перегрызу!

— А из-за чего он? — тихо спрашиваю Чернову. Ее сын в больнице. Диагноз — отравление. Как обычно — в таких случаях.

Она пожимает плечами. Еле заметно. Как будто тяжесть, лежащая на них, не позволяет ей пожать плечами по-настоящему.

— Не знаю.

— А как? Таблетками?

Она кивает.

Наверное, нашими. Импортными и не отравишься.

— А ты ничего не замечала?

Надо было говорить с ней. Об этом. Так ей станет легче. Именно за этим она здесь.

— Нет. Он вроде такой веселый был. Я даже думала — влюбился. Спросил, бриллиант во сколько карат порадовал бы девушку...

— Может, в какую-нибудь компанию попал, может, долги?

— Какие долги? Он отцову карту катает, уже до дыр стер!

— Но с ним все нормально будет?

— Нормально.

— Он в ЦКБ?

— Через два дня, сказали, выпустят.

Позвонила Лялька.

Она уже паркуется. Это значит, что минут через 15 она выезжает с презентации. Минут через 40 будет здесь.

У тапера закончился перерыв.

— Слушайте! — Регина увлечена поисками Катиной роковой журналистки. — У меня есть одна тетка с телевидения, я ее всегда выручаю...

— Это как? — интересуюсь я.

— Ну, сейчас же модно всякие гламурные

истории рассказывать, и им постоянно нужны сумасшедшие героини с Рублевки... ну, там, кого муж бросил или кто сама раньше секретаршей была...

— Понятно, понятно, — Катя в нетерпении, — мы смотрим телевизор!

— Ну, и она как бы моя должница. По крайней мере, она сама так все время говорит...

— И что?

— Я могу попросить ее насчет этой фотографии Катькиной, только поздно уже...

— Успокойся! — умоляет Марина.

— Звони! Уроем журналюгу! — орет Катя.

Приехала Лялька. В леопардовой юбке, с белокурыми локонами и новым кольцом на пальце.

— Ничего себе! — восхищается Марина Сми.

— Неплохо, неплохо, — одобряет Катя.

— Что пьете? Шампанское? — Лялька садится за стол, посылая всем вокруг воздушные поцелуи. Кивает Черновой: — У тебя все нормально?

— Все нормально, — Чернова кивает в ответ и смотрит на часы.

— А почему у нас стол такой ужасный? — возмущается Лялька. — Вы что, ничего не едите? А где официанты?

— Мы после шести не едим! — обижается Катя. — Только пьем. Хотя, если бы у нас были такие сиськи... — она косится на Ляльку, — мы бы и не пили.

— У вас вообще можно поесть? — Ляля обворожительно улыбается официанту.

— Конечно! — радуется он.

— Мне, пожалуйста, молодые артишоки, фаршированные креветками и крабовым мясом, — без запинки заказывает Лялька, — и вино, а то я шампанское не хочу...

— Я от него пердю!.. — в тон ей ерничает Катя.

— Мне, пожалуйста, бутылочку «Benefizio Pomino Bianco Doc» 2004 года. Выпьете со мной вина? Девочки? От Marchesi De`Frescobaldi? Потрясающее. Я в это «GQ» вообще только из-за него приезжаю, и недорого, кстати.

Когда Лялька произносила что-нибудь, кроме названий блюд или алкоголя, язык ее уже заметно заплетался.

— Ой! Подружка моя! — Лялькин вопль адресован входящей в зал Оксане Робски.

Робски тоже писатель. Считается, что мы коллеги. А я думаю, она мне подражает. Поэтому мы не здороваемся.

Лялька целуется с Робски. Робски улыбается Черновой.

Я поняла, почему не злословлю. Наверное, я просто не люблю людей.

— Что новенького? — спрашивает Лялька. — Я слышала, ты духи хочешь делать?

— Ну, да, «Casual». — Робски улыбается в 34 зуба. — А на рекламе будет блондинка — может быть, даже ты — в машине в моей, «Bently», эротично душится «Casual» и жмет на газ, врезаясь на дикой скорости в кирпичную стену. Гламурно?

— Гламурно, — соглашается Лялька. — Думаешь, кто-нибудь купит?

— Конечно, купит.

— С такой рекламой... в стенку... Мне кажется, везде должен быть Hollywood ending.

— Да ладно тебе, я шучу!

Уходя, Робски кивает мне.

— До свидания, — я тоже улыбаюсь. В 32 зуба.

— Я поехала. — Чернова опять смотрит на часы и встает. — Там мой муж один.

Я тоже встаю и иду за ней к выходу.

На улице Чернова плачет.

— Такое пережила! — шепчет она.

— Ну, все... все! Теперь все будет хорошо. — Я прижимаюсь к ее шубе и дрожу то ли от холода, то ли от собственного бессилия. Потому что не знаю тех слов, от которых ей стало бы легче.

— Там отец вообще с ума сошел! — всхлипывает Чернова. — Думает, это все из-за того, что Сережа в Россию вернулся...

— Да ладно, влюбляются везде, а у него сейчас возраст такой... опасный. Но теперь все позади.

Охранники бережно усаживают Чернову в новенький «BMW».

Я возвращаюсь в ресторан и полчаса грею руки под струей горячей воды в туалетной комнате.

Две девушки у зеркала красят губы и обсуждают нового знакомого.

— Олигарх, оказывается! — облизывается одна, пробуя языком помаду.

— Слушай, сейчас столько этих олигархов развелось! — вторая достает пудру. — Смотришь: лох лохом, а оказывается — олигарх!

Выхожу в зал. Посередине между столиками

стоят Ульяна Цейтлина и девушка-брюнетка в светлом брючном костюме.

Ульяна одета не по погоде красиво. Точнее — раздета. Она близоруко — хотя все вокруг думают, надменно — оглядывает битком набитый зал.

Лицо ее спутницы кажется мне знакомым. Волнистые каштановые волосы девушки заплетены в косу, которая заканчивается там, где начинаются ноги. Ее ноги. У всех остальных на этом месте талия.

— Как дела? — обращаюсь к девушке с косой.

— Хорошо, — в голосе девушки столько энтузиазма, что даже Ульяна перевела на нее свой рассеянный взгляд. — Выхожу замуж. Свадьба будет на юге Франции. Мы арендуем виллу Ротшильда.

— Поздравляю, — мило улыбаюсь в ответ и спрашиваю Ульяну, что новенького в ее жизни?

— Книжку думаю написать, — Ульяна растягивает слова, не отрывая глаз от косы будущей невесты, — под названием «Мои любимые брюнетки».

— Здорово, — не теряется девушка с косой, глядя в спину удаляющейся Ульяне.

— Красивый костюм, — хвалю девушкин наряд и улыбаюсь ободряюще, так и не вспомнив ее имени.

— Да. Спасибо. — Она уже не смотрит вслед Ульяне, а довольно улыбается. — Между прочим, «Снежная Королева». Представляешь?

Представляю.

Разворачиваюсь и иду к своему столику, оставив ее посередине зала. Наедине с ее свадьбой, косой и «Снежной Королевой».

Возвращаюсь за столик.

Ляльке принесли вино и артишоки.

Регина с Мариной Сми по очереди примеряют новое Лялькино кольцо.

— Девочки! — назидательно вещает Лялька. — Надо пить вино. От него трезвый ум и ясные мысли.

— Лично я предпочитаю трезвые мысли, — возражает Катя. — Кстати, вот одна из них: мы давно не пили за нашу подругу, а она все-таки уезжает!

Мы опять пьем за мой отъезд.

— А я тебе даже завидую! — шепчет Регина мне на ухо. — Я бы тоже хотела вот так: все бросить! Ради любимого. А он, кстати, тебе этого никогда не забудет. Всю жизнь будет благодарен. — И продолжает на весь зал: — Девочки, да они потрясающая пара! И оба такие талантливые!

— А тебе кто кольцо-то подарил? — интересуется Катя у Ляльки. — Где еще такие богатыри водятся?

Лялька хохочет:

— Да вы не поверите!

— Ну, рассказывай! — торопим мы. — Не интригуй!

— Это один молодой человек... — Лялька, широко улыбаясь, обводит нас таинственным взглядом, — очень молодой...

Она снова хохочет.

— Я ее сейчас застрелю, — рычит Катя.

— Нет, застрелить меня могла бы Чернова! — Лялька захлебывается смехом.

— Еще одну бутылочку? — интересуется официант. — «Benefizio»?

— Ляль, что ты имеешь в виду? — Мы все чувствуем неладное.

Лялька кивает официанту.

— А что такого? Девочки, зачем так на меня смотреть? Он все-таки совершеннолетний.

— Ляль, ты это серьезно? — Мой голос звучит угрожающе тихо, как предсмертные реплики главных героев в финальных кадрах американских триллеров.

— Слушайте, я вам больше вообще ничего не расскажу! — Ляля возмущена и почти обижена.

— Ляля, ты — дура? — кричит Катя. — Ты дура?!

Сидящие за соседними столиками оборачиваются. Тапер-итальянец бодро улыбается.

— Подумаешь! Что такого-то? — Ляля кричит в ответ.

— Да ты знаешь, — Катя вскакивает со стула и орет на весь ресторан, хостес столпились у входа, официанты замерли, только тапер продолжает наигрывать что-то веселенькое, — ...ты знаешь, что...

— Катя! — я тоже кричу.

— Все нормально, — Регина улыбается окружающим.

— Что? — недоуменно спрашивает Катя. Она уже не орет, но все еще продолжает стоять.

— Не надо, — прошу я.

— Почему? — Катя почти плачет.

— Да что у вас происходит? — Ляля тоже готова разрыдаться.

— Не надо, — повторяю я. — Чернова бы не хотела.

Чернова бы не хотела, чтобы Лялька знала, что ее сын хотел умереть. Из-за нее, из-за Ляльки. Так казалось матери шестилетнего Антона.

— Я пошла. — Лялька встала. — Не открывайте бутылку, — сказала официанту. — Заплатишь за меня? — попросила меня.

Я кивнула.

Остальные молчали.

— Может, счет попросим? — предложила Марина.

— Уже оплачено, — сообщил официант. — Заплатил тот мужчина, что сидел здесь в начале вечера.

— Зря мы эту дуру отпустили, — сказала Катя на улице.

Мы стояли у входа в ресторан, шубы нараспашку.

Многочисленные охранники грелись, подпрыгивая у своих машин.

— Успокойся, — обняла ее Регина. — Зато мне обещали перезвонить насчет твоей журналистки.

— Убью, — пообещала Катя.

Наконец-то вышла Марина.

— Я шапку искала, — объяснила она, — не нашла. Наверное, без шапки приехала.

— Девочки, так есть хочется... — протянула Регина. — Давайте в «Пушкин» поедем?

— Ура! Бефстроганов и салат оливье! — завопила Катя.

Мы с трудом уместились все в одну машину.

В «Пушкине» было по-утреннему людно. Кто-то заказывал дайджестив, кто-то яичницу.

Катя попросила двойную порцию жареной картошки.

Регина — винегрет и шесть пирожков.

Я — борщ..

А Марина ела со всех тарелок сразу.

— Мой, наверное, — сказала Регина, когда пикнул ее телефон, — не выдержал, эсэмэску прислал.

Она доела винегрет, шесть пирожков и только после этого прочитала SMS. По ее лицу мы поняли, что она перечитала текст несколько раз.

— Это что, ты сливала для желтой прессы информацию про Катю?

Регина обращалась к Марине.

— Что? — не поняла Катя.

Марина покраснела. И тут же расплакалась.

— Я давно хотела сказать, — всхлипывала она, — но я не виновата.

— Что это происходит-то? — Катя отодвинула тарелку.

— Я не виновата, — повторяла Марина. — Просто я хотела, чтобы они написали про меня. Ну, про нас, про ребенка. Чтобы он перестал делать вид, что живет с Василисой, представляете, каково...

— Короче! — Катя напряглась.

— Они просто мне фотографию показали. И спросили, не знаю ли я, кто эта девушка, ну... то есть ты... а я-то и понятия не имела, что у вас роман... Кать, прости меня, я думала, ты дурачилась просто — сфотографировалась...

— Марина... — Мы не верили своим ушам.

— Да не знала я! Верьте мне, я сама уже измучилась с этой историей! Не знала, правда...

— Может, выпьем? — мрачно предложила Катя.

— Нет, я — домой, — решительно сказала Регина.

— Если хочешь, я с тобой выпью... — тихо

предложила Марина.

Катя долго смотрела на нее оценивающим взглядом.

— Ну, давай, — в конце концов согласилась она.

Я уехала вместе с Региной.

Мне тоже захотелось домой. К Александру.

Весна в этом году была ранней. Снег лежал черными грязными лохмотьями. Земля острым кадыком выглядывала из растаявших сугробов, а звезды вздрагивали и замирали в небе.

Я сидела в машине, не включая музыку, и представляла, как Александр стоит у окна в своей квартире.

Он смотрит на звезды и иногда на дорогу.

Он по мне ужасно соскучился.

Он меня ждет.

P.S.

...в это время...

У подъезда стояла машина ее бывшего мужа.

Он медленно шел ей навстречу.

Она отметила, что рядом с ней нет охранников.

Охранник доставал из машины пакеты.

Ей стало страшно.

Не так страшно, когда кричишь, а так страшно, когда кричать не можешь. Ей это иногда снилось: она хочет закричать от испуга и позвать на помощь, она открывает рот — и ни одного звука не вырывается из груди. От ужаса она обычно просыпалась.

Охранник выронил пакет и бросился к ней.

Она увидела пистолет и уже не смогла оторвать от него глаз.

В руках бывшего мужа.

Она все-таки закричала.

Выстрел был громче.

Но не страшнее, чем ее страх.

С этим ничто не могло сравниться.

Ничто.

Охранник долго бил ногами ее бывшего мужа, пока второй безнадежно суетился около ее тела.

В это время Катя рассказывала Марине, какой счастливой была ее супружеская жизнь. Марина кивала и улыбалась.

В это время Регинин молодой человек устраивал ей скандал, обзывая алкоголичкой. А Регина выбрасывала его вещи в окно.

В это время Чернова сидела на своей кухне, уткнувшись взглядом в темное окно, а ее муж стоял в трусах перед пенящейся ванной, сосредоточенно глядя на воду — так, словно пересчитывал мыльные пузыри.

В это время следователь Николай сидел за столом, усеянным журнальными портретами известной писательницы. «Она все-таки фрукт!» — твердил он. А домработница Ира колотила в закрытую дверь комнаты, обзывая его «психом» и «шизофреником».

В это время Алик на железнодорожной станции Берлин—Зоо выяснил, что поезд № 014, следующий в Москву — общее время в пути 1 день 4 часа и 12 минут, — ходит только до 6 декабря.

*Литературно-художественное издание*

*Оксана Робски*

*Издано в авторской редакции*

# CASUAL-2
# Пляска головой и ногами

Ответственные за выпуск: *Н. Долгова, Л. Захарова*
Технический редактор *Т. Тимошина*
Корректор *И. Мокина*

ООО «Издательство Астрель»
129085, г. Москва, пр-д Ольминского, 3а

ООО «Издательство АСТ»
170002, Россия, г. Тверь, пр-т Чайковского, 27/32

Вся информация о книгах и авторах «Издательской группы АСТ»
на сайте: www.ast.ru

Заказ книг по почте:
123022, Москва, а/я 71, «Книга-почтой»,
или на сайте: shop.avanta.ru

По вопросам оптовой покупки книг
«Издательской группы АСТ» обащатся по адресу:
**г. Москва, Звездный бульвар, д. 21, 7-й этаж**
**Тел., (495) 615-01-01, 232-17-16**

**Отпечатано с готовых диапозитивов**
**в ООО «Типография ИПО профсоюзов Профиздат»**
**144003, г. Электросталь, Московская область, ул. Тевосяна, д. 25**